espacio
Flanagan

Todos los detectives se llaman Flanagan

1.ª edición en *Espacio Abierto,* 1991
1.ª edición en *Espacio Flanagan,* 2006
2.ª impr., junio 2006
3.ª impr., febrero 2007

© Andreu Martín y Jaume Ribera, 1991, 1992, 1993, 1994,
1995, 1996, 1997, 1998, 1999, 2000, 2001, 2002, 2003, 2004, 2005, 2006
www.iflanagan.com
© Grupo Anaya, S. A., Madrid, 2006
Juan Ignacio Luca de Tena, 15. 28027 Madrid

www.espacioflanagan.com
e-mail: anayainfantilyjuvenil@anaya.es

Diseño de cubierta: Javier Serrano
y Miguel Ángel Pacheco

ISBN: 978-84-667-5188-9
Depósito legal: S. 211/2007
Impreso en Gráficas Varona
Polígono El Montalvo, parcela, 49
Salamanca
Impreso en España - Printed in Spain

Las normas ortográficas seguidas en este libro son las establecidas por la
Real Academia Española en su última edición de la *Ortografía,* del año 1999.

Todos los detectives se llaman Flanagan

Andreu Martín
Jaume Ribera

Con nuestro agradecimiento a Isabel Huertas y a sus alumnos del Instituto de Enseñanza Media Salvador Seguí, así como a los del Instituto de Bachillerato Parc de L'Escorxador.

No puedo entender por qué, siendo los niños tan inteligentes, los adultos son tan necios. Debe ser fruto de la educación.

ALEJANDRO DUMAS, hijo

1

No juguéis a detectives

Un consejo: no juguéis a detectives. O lo sois o no lo sois, pero no juguéis a serlo, porque después pasa lo que pasa y cuando os queráis echar atrás descubriréis que es demasiado tarde. Miradme a mí: empecé realizando pequeñas investigaciones para conseguir algo de pasta para mis gastos y pagarme cuatro caprichos que mis padres no podían pagarme, husmeando aquí y allá en busca de perros perdidos o de autores de anónimas cartas de amor, y un buen día, cuando trataba de averiguar cómo era posible que Elías Gual, siendo tan corto como era, aprobara los exámenes como los aprobaba, *ñaca*, me veo envuelto en un asunto excesivo y peligroso de traficantes de drogas y de chantaje. Y eso no es nada, porque, cuando pensaba que ya había pasado la tormenta y que podía reemprender mi apacible rutina cotidiana, se me vino encima una riada de conflictos aún mucho peores.

Ejemplo de conflicto. Una mañana, apenas empezadas las vacaciones de Navidad, mi padre me había pillado para que le ayudara a sacar al callejón un montón de cajas de cerveza vacías que se nos habían acumulado en el sótano. Y estaba yo trajinando cajas arriba y abajo, cuando se me acerca por la derecha una morenita con pinta de gitanilla traviesa, cabellos negros y despeinados (¡cómo me gustan las chicas traviesas y despeinadas!), ojos aún más negros que el pelo, de mirada abrumadora de tan sincera, y boca risueña con dos incisivos de conejo de lo más graciosos. Una de esas chicas que te despiertan la necesidad de hacerte muy amigo suyo, de confiarle todas tus inquietudes y de convencerla de tus puntos de vista mientras hacéis manitas. Pues bien, se me acerca una chica así por la derecha y me dice:

—Flanagan: quiero hablar contigo.

Y, por la izquierda, entra en escena Charcheneguer, una montaña de diecisiete años, abusón profesional, repetidor perpetuo, que se pasaba horas y horas en un gimnasio, cultivando sus músculos con el mismo entusiasmo y las mismas intenciones con que otros cultivan plantas carnívoras. No hace falta decir que le llamábamos Charcheneguer en honor del actor Schwarzenegger, el que interpretaba a Conan, ¿recordáis?, y él lo consideraba un honor, pobrecito, incapaz de detectar la ironía ni siquiera cuando la tenía a un centímetro de la nariz. A fuerza de ejercitarlos, le habían salido músculos hasta en las circunvalaciones del cerebro, en detrimento de las neuronas. Se acerca, pues, Charcheneguer por la izquierda y me dice:

—Flanagan: quiero hablar contigo.

Y me agarra de un brazo, me arrastra, me aleja de los cabellos, de los ojos, de la sonrisa de la morenita, me empuja entre dos pilas de cajas de cerveza aplastándome contra la pared, chafándome el pecho con una manaza tan grande que casi tenía que mirarle entre los dedos, y me suelta sin ninguna delicadeza:

10

—Esta mañana, Fede Gómez le ha partido la cara a Rebollo.

Se refería a dos compañeros del instituto. Y yo había oído hablar del incidente, sí. Me puse un poco nervioso.

—¿Y sabes por qué esta mañana Fede Gómez le ha partido la cara a Rebollo? —insistió Charcheneguer, un poco reiterativo.

Claro que lo sabía. De ahí que me estuviera poniendo nervioso.

—No lo sé —dije.

—Porque Rebollo se ha pasado todo el trimestre haciendo pintadas que decían que si Fede era o dejaba de ser.

Dejaba de ser. Lo que decían las pintadas era, sobre todo, lo que Fede dejaba de ser. Pintadas inmensas, impresas con una pintura verde que parecía tener luz propia, utilizando las paredes del instituto a modo de pantalla panorámica, que aseguraban que Fede no era tal cosa, o carecía de tal otra. A veces afirmaban que sí, que era tal cosa o tal otra, pero siempre se trataba de alusiones a defectos o carencias con las que Fede no estaba nada de acuerdo.

—¿Y sabes cómo se ha enterado Fede de que las pintadas eran cosa de Rebollo? —proseguía Charcheneguer su interrogatorio.

—No —balbuceé, buscando una escapatoria, ayuda, socorro, auxilio, milagros—. ¿Cómo se ha enterado?

Era una pregunta retórica, claro, puesto que yo conocía perfectamente la respuesta. Fede me había contratado para que averiguara quién era el autor de las pintadas difamatorias. Tengo que reconocer que había sido uno de mis mejores trabajos. Una filigrana. Antes de recurrir a mí, Fede y su banda de *heavies* se habían dedicado a registrar a todo el mundo, buscando el arma del crimen (el spray de pintura verde) en cuantas carteras, mochilas y bolsillos se les pusieron a mano. Como no encontraron ninguno, se me hizo evidente que el clandestino artista escondía el spray en algún lugar, inmediatamente después de utilizarlo y, por eliminación, calculando la ubicación de las pintadas, los lugares donde Fede y los suyos habían instalado sus controles, y las posibles vías de escape, llegué a la conclusión de que el único escondite posible era la biblioteca. Efectivamente, allí encontré el spray, detrás de la obra completa de Miquel Obiols.

Lo que hice a continuación también fue digno de aplauso. Taponé el orificio del spray con silicona y perforé otro orificio casi invisible por el otro lado del pulsador. Después de esto, me limité a decirle a Fede que reconocería al gracioso porque aparecería con la cara manchada de pintura verde. Y así fue. Para sorpresa de todos, la tarde anterior Rebollo había aparecido corriendo por los pasillos del instituto con la cara verde, y los *heavies* de Fede Gómez se habían encargado de ponérsela de todos los demás colores del arco iris. Y todo eso, ¿gracias a quién?

—Tú se lo dijiste a Fede —me acusó Charcheneguer iluminando su rostro con una mueca de inteligencia que le daba un cierto aire de boxeador sonado.

Así era, gracias a un servidor. ¿Y qué podía querer ahora Charcheneguer, sino darme las gracias a bofetadas en nombre de su amigo?

—Bien, no ocurrió exactamente así —intenté defenderme.

—Ocurrió exactamente así.

—Bueno, si crees que lo sabes todo...

«Ahora me rompe la cara».

Entonces ocurrieron dos milagros mutuamente excluyentes. El segundo llegó un poco tarde, pero, de todas formas, lo considero un milagro.

Por un lado, resultó que Charcheneguer no quería romperme la cara. Dijo:

—¿Qué crees que te haría Rebollo si supiera que fuiste tú quien se chivó?

Rebollo se alegraría mucho de tener alguien con quien desahogarse un poquito. Le había visto después de la paliza, con una cara muy curiosa que le había quedado entre los morados y la pintura verde que se resistía al agua y al jabón. Pero las palabras de Charcheneguer significaban que Rebollo aún no lo sabía. Es decir, que el maldito gigante culturista quería hacerme chantaje, exigiéndome pasta o quién sabe qué (¡quién sabe qué!), a cambio de su silencio. Inconvenientes de ser detective, ya os lo he dicho. No hay que jugar a ser detective. O lo eres, o no lo eres. Y, si lo eres, tienes que apechugar con este tipo de inconvenientes.

El segundo milagro consistió en la aparición, en aquel preciso momento, de la morenita acompañada por mi padre:

—Me parece que este chico quiere pegar a su hijo.

—¿Quién? ¿Este? —exclamó mi padre agarrando a Charcheneguer por la nuca.

La intervención habría sido bien recibida en el caso de que la bestia estuviera tratando de hacerme tragar los dientes, pero en caso de chantaje procede actuar de otra manera. A los chantajistas hay que tratarlos bien, de momento, mientras tienen la sartén por el mango. Por eso reaccioné de aquel modo:

—¿Pero qué dices? —exclamé con toda mi inocencia—. ¡Suéltale, papá! ¡Si es Chema, un compañero del instituto...! Si somos amigos... Solo estábamos charlando...

Mi padre se quedó desconcertado, pero lo que peor me supo fue la expresión de profunda contrariedad de la gitanilla. Se le subieron los colores, como aquel que se da cuenta de que ha metido la pata y quiere que se le trague la tierra, y dijo, muy compungida: «Oh, perdonen; oh, yo creía», y salió corriendo. Me dije que jamás me perdonaría haberle dado aquel chasco.

—¡Pues venga, espabila! —exclamó confuso mi padre—. ¡Deja de charlar y sube las cajas que faltan, que el camión está al llegar!

De modo que proseguimos la conversación como buenos chicos, yo cargando cajas de cerveza desde el sótano hasta el callejón y Charcheneguer amorrado a una mediana que me gorreó.

—Está bien, ¿qué quieres de mí?

—Quiero ver a Sabrina en pelotas —me suelta.

Faltó poco para que se me escapara la caja de las manos. Tenía ganas de soltarla por las escaleras, de montar un cirio tan grande que vinieran los bomberos y todo. Claro está que no se refería a la artista que suele salir por la tele. Habría sido un encargo demasiado fácil. No hacía falta que me aclarara que me estaba hablando de la compañera del instituto Montse Bosch, también conocida como Sabrina en alusión a una cantante provista de razones de peso frontales para llamar la atención. Dos razones, y muy obvias.

Miré a Charcheneguer con improvisada suficiencia, decidido a ridiculizarle.

—Pero, hombre, Charche..., que ya eres mayorcito...

Se sintió ridículo. Muy violento.

—Qué —tartamudeó—. Qué. Eh. Qué pasa. La quiero ver, sí, la quiero ver, qué pasa... Para saber si todo lo que tiene es de verdad... Si es todo suyo... Por curiosidad...

—Interés puramente científico —le ayudé.

—¡Sí, interés científico, interés científico, qué pasa! —exclamó agarrándome por el chándal y zarandeándome hasta que los dientes me sonaron como castañuelas—. ¿Es que no crees que pueda sentir un interés científico por estas cosas?

Nunca hay que ridiculizar a un chantajista. Es peor.

—¡Está bien, está bien, está bien! —grité mientras soltaba la caja de cervezas, que por poco se cae por el hueco del sótano, provocando el cirio convocador de bomberos.

—¿Está bien? —preguntó la bestia, con la lengua fuera, ávido como un perrito hambriento que ve acercarse a su dueño con la comida—. ¿Está bien? ¿Está bien?

Pobrecillo, me había oído decir que estaba bien y claro, había llegado a la conclusión de que yo quería decir que estaba bien.

—¡No está bien, no está nada bien! —repliqué—. ¿A mí qué me cuentas, si quieres ver a Sabrina en bolas? ¡También me gustaría verla a mí, y...!

—¿Sí? Pues cuando lo consigas, dejaré que mires.

—Pero ¿estás loco? ¿Qué quieres que haga? Que vaya y le diga: «Oye, que hay uno que quiere verte en porretas, ¿serías tan amable de...?».

—Tú tienes muchos recursos, Flanagan... Sabes muchas cosas de todos los del cole...

Lógico. Aquel retrasado mental chantajista, cuya sonrisa empezaba a parecerme de libro de fauna, capítulo aves carroñeras, daba por supuesto que yo era de su misma pasta. Que sabía cosas de Sabrina y que no dudaría en extorsionarla para conseguir mis propósitos. Y yo me lo monto de detective, vale, y dispongo de mucha información sobre los compañeros del cole, es cierto, pero mi lema es «vive y deja vivir» y nunca he caído en la tentación del chantaje. Primero, porque hacerlo sería fatal para mi negocio y, segundo, porque nunca me ha gustado el tufillo que desprenden los que se aprovechan de las debilidades de los demás.

—¿Y por qué no vas a rondar por su casa, de noche, a ver si ves algo? —improvisé a la desesperada.

—Ya lo he hecho, pero desde el descampado que hay frente a su casa no se ve su dormitorio, sino la salita donde tienen el teléfono, donde se tira horas y horas charlando. —Charcheneguer consultó impaciente su reloj—. Ah, son las siete. Ah, se me olvidaba, tiene que ser esta misma noche, porque hoy es jueves y el jueves por la noche sus padres se van al cine. Estará sola.

—¿Y si me niego? —dije, más que nada por no quedarme callado.

—No pasa nada. Iré a ver a Rebollo y le diré...

Tocado y hundido.

Mi despacho está instalado en una confortable barraca que comparto con María Gual, una *tecno* con aires de pija que se empeña en ser mi socia pero que siempre está ligando, cotilleando, buscando líos y haciendo cosas sin interés. Aquella tarde, no obstante, preferí irme a casa, al último rincón del sótano del bar de mis padres. No quería que María se enterara del lío en que me había metido. Podía ser desastroso. Le pedí ayuda a mi hermana Pili.

—Escucha, Pili... ¿Conoces a Montse Bosch?

—¿La Sabrina? Claro que la conozco.

—Es un poco aprensiva, ¿verdad?

—Más que eso. Es maniática. Hipocondríaca.

—Ya. Y se queda a comer en el instituto, ¿verdad?

—Sí. ¿A qué vienen estas preguntas?

—Es que tienes que ayudarme. Me he metido en un lío. Verás: esta mañana se ha presentado el Charche y...

16

Nos pasamos la tarde encerrados elaborando un plan, sin ver a nadie. Bueno, solo hice una excepción:

—Ha venido el Plasta —me anunció Pili, que disfruta tanto haciendo de secre como yo haciendo de sabueso—. ¿Le digo que estás reunido?

—No. Ya voy.

El Plasta estaba embobado, como siempre, ante el televisor del bar, ofreciéndoles su boca a todas las moscas que quisieran pasearse por su interior. A su lado, un poco retirada, vi a la morenita a la que tenía que agradecer el frustrado intento de ayuda de aquella mañana. Me dio la impresión de que iban juntos, y eso me sorprendió.

—¿Vienes a decirme que me lo rebajas? —dije yo.

—¡Ni hablar! —protestó el Plasta—. ¡Si venía a decirte que he decidido subírtelo!

—¿Te has vuelto loco? ¿Te crees que tengo una máquina de fabricar billetes en el sótano?

—¡Puedes pagar lo que te pido!

—¿Cómo? ¿Vendiendo mi hígado para un transplante?

—¡No te hagas ahora el pobre! ¡Bien que cobras por tus casos!

La morenita nos miraba estupefacta, sin entender nada. Evidentemente, no acompañaba al Plasta, sino que estaba esperando turno para hablar conmigo. No obstante, nos escuchaba muy atentamente, como si pretendiera extraer de nuestra conversación datos que le pudieran resultar útiles. No podía entender que estábamos hablando de un teleobjetivo fotográfico con zoom 35-400 mm que el Plasta quería vender. Ahora, aquel tío, que parecía alelado, acababa de sufrir un ataque de avaricia y había subido el precio, y el regateo se alargaba en un incómodo tira y afloja.

—Mira, tío —razoné—. A lo mejor tú vas sobrado de pasta, pero yo no. Últimamente he hecho demasiados favores. Gente que me dice que no tiene pasta, que ya me pagará, y yo soy tan tonto como para no cobrarles y, como resultado, ahora estoy a cuatro velas...

Si le hubiera prestado más atención a la chica, habría notado que en aquel preciso momento de nuestra conversación su expresión cambiaba, entristeciéndose profundamente. Ella venía a decirme que no tenía dinero y que ya me pagaría.

—Pues peor para ti.

—No, no te preocupes, que no volveré a hacerlo... —me quejé—. Pero es que necesito el objetivo para mi cámara, Plasta. Sabes de sobra que necesito un tele...

Entonces sí, la morenita lo entendió. Dio media vuelta y echó a correr, saliendo del local como si huyera despavorida. Era la segunda vez que venía a verme y que desaparecía de mi vida sin que pudiésemos empezar a hablar.

2

Teleobjetivos

nmediatamente después, las cosas empezaron a precipitarse. La negociación con el Plasta fue interrumpida por una llamada de Charcheneguer, metiéndome prisa.

—Vamos, *tío*, vamos, ¿ya lo has arreglado todo? ¿Eh? ¿Eh?

Se le veía ansioso, como un niño en la madrugada del día de Reyes.

—Iremos a tu observatorio.

—¿Adónde? —Tal vez no sabía qué significaba «observatorio», el pobre.

—Al sitio desde donde dices que has espiado más de una vez a la Sabrina.

—Ah, ya. ¡El parque!

—Espérame a las once en la plaza del Mercado.

Les dije a mis padres que aquella misma noche le tenía que llevar unos apuntes a María Gual. Mi padre refunfuñó un poco, pero no se opuso (tan solo dijo aquello de «no me gusta que salgas a estas horas»). Cenamos como suelen hacerlo las familias que tienen un bar, de uno en uno y en un santiamén, porque es la hora en que los clientes exigen más atención), y finalmente salí dispuesto a enfrentarme con mi aventura nocturna.

No me hacía ninguna gracia tener que salir a la calle de noche. Además, hacía frío, porque estábamos en pleno diciembre, se acerca la Navidad, felicidades, alegría y todo eso; el barrio está demasiado lleno de cazadoras de cuero, litronas, jeringuillas, navajas y ojos inyectados en sangre. Mi barrio es pobre y peligroso. Si yo tuviera un hijo, no le permitiría que saliera a estas horas. Pero me temo que mis padres tienen más vocación de camareros que de padres.

Charcheneguer me esperaba en la plaza del Mercado, con cara de triunfo. «Te tengo en mis manos, Flanagan», quería darme a entender. «Ya te arreglaré las cuentas», quería darle a entender yo. Pero ninguno de los dos lo expresó en palabras.

—Llévame a tu observatorio.

—¿Adónde? ¡Ah, sí...!

Nos internamos en el parque, un lugar que algún alcalde optimista había querido convertir en un paraíso para que los niños jugaran, los viejos tomaran el sol y las comadres cotillearan. Todos los faroles habían sido destruidos a pedradas, los jardines aplastados y una banda de desconocidos se había llevado los toboganes y los columpios para venderlos como chatarra. Ya os he dicho que vivo en un barrio poco recomendable. Si no hubiera ido acompañado por Charcheneguer, no me habría atrevido a internarme solo y de noche por el parque.

En el lugar donde originalmente se habían hecho planes para erigir una estatua representando un hada buena y feliz, había ahora una montaña hecha de escombros y basura, restos de un lavabo, somieres, un sofá reventado, una nevera oxidada que olía a meados y otras porquerías. Charcheneguer trepó al Everest más asqueroso del mundo. Y yo detrás. Era como meterme en una trinchera de la Primera

Guerra Mundial en pleno ataque de gases asfixiantes. No había duda de que se trataba del trabajo más sucio que había hecho hasta entonces.

—¿Lo ves? ¿Lo ves? —decía el culturista, muy excitado—. Allí, allí.

Yo no veía nada. Me lo tapaba él, que, además de ser más alto que yo, monopolizaba el Pico de la Basura. Tuve que subirme a la nevera y ponerme de puntillas para distinguir la ventana iluminada en el bloque de pisos que teníamos justo enfrente.

—Es aquella ventana.

—Ajá —dije yo.

Consulté mi reloj. Eran las once y diez. Faltaban cinco minutos.

—Bien. ¿Qué piensas hacer?

—Esperar.

—¿Esperar a qué?

—A que Sabrina se acerque a la ventana y se quite la blusa, o lo que sea, y te muestre sus tesoros ocultos.

—¿Lo hará? —babeó Charcheneguer—. ¿Lo hará, lo hará, lo hará? ¿Le has dicho que lo haga?

—No le he dicho nada, pero lo hará.

—¡Oye, tío...! —se impacientó—. ¡Llevo tres meses esperando este milagro! ¿Por qué supones que lo hará, si no has hablado con ella?

—Porque me llamo Flanagan. —A veces tienes que ponerte un poco chulo.

—¡Oye, tío...! —repitió.

Estiró la mano para cogerme por la ropa y zarandearme, costumbre muy típica de los chantajistas. Yo me eché atrás para esquivarle, me caí de la nevera con gran estrépito y aterricé sobre un somier.

21

Charcheneguer se disponía a bajar para seguir hablando conmigo, pero ya eran las once y cuarto.

—¡No te despistes, Charche, no seas bestia, que ya ha salido!

Se volvió hacia la ventana iluminada y se le iluminó el rostro como si viera a Miss Costa Brava en camiseta mojada. Desde abajo yo no podía ver el espectáculo, pero me lo imaginaba. Sabía que estaba sonando el teléfono del piso de los Bosch. Pili, mi inefable hermanita y colaboradora, llamaba desde casa. Y Sabrina, sola en el piso, se disponía a contestar.

Charcheneguer esperaba el milagro sin parpadear.

Sabrina descolgaba. Contestaba:

—Diga.

—¿Señorita Bosch? —Pili poniendo voz de persona mayor y responsable, que le sale muy bien—. La llamamos desde la residencia. Usted ha comido en el instituto este mediodía, ¿verdad?

Y Sabrina, desconcertada:

—Sí... (*¿Qué pasa? ¿Por qué me llaman a estas horas?*).

En la cima del Everest de la Inmundicia, Charcheneguer rebullía inquieto:

—¿Se lo quita o no se lo quita?

—¡Cállate de una vez! ¡Ahorra saliva, que la necesitarás para babas!

—Es que se han producido algunos casos de intoxicación. Algunos de sus compañeros han tenido que ser hospitalizados...

—¿Intoxicación? ¿Hospitalizados?

Me lo había dicho Pili: Montse Bosch era más que aprensiva. Era maniática. Hipocondríaca. Yo me la imaginaba palideciendo:

—¿Y qué..., cómo...?

—Si podemos detenerla a tiempo, la intoxicación no es grave. Se manifiesta con unas erupciones verdes y violetas que aparecen en el pecho...

Al oír la exclamación admirada de Charcheneguer y al ver que se le ponían los ojos del tamaño de los tesoros gemelos de la Sabrina, no me quedó ninguna duda de que todo había salido como esperábamos. Sabrina soltó el teléfono como si le quemara en las manos y se desabrochó rápidamente la blusa para comprobar si las manchas verdes y violetas habían aparecido en sus pechos descomunales. «Aparta, Flanagan —pensé—, o te salpicará de babas», compadeciéndome de aquel infeliz que espiaba, encaramado en un montón de basura, un espectáculo que podía ver en verano en cualquier playa, tomando tranquilamente el sol.

Me compadecí de él durante dos o tres segundos.

En el segundo que vino a continuación, oí un ruido que me puso los pelos de punta...

Clic, clic, clic, clic.

Charcheneguer, jope, el hijo del Innombrable, tenía una cámara réflex, con teleobjetivo y motor, una antigualla analógica, de las de carrete, pero de las buenas, y estaba inmortalizando a Sabrina con toda su humanidad desparramada ante ella.

—Pues yo no veo ninguna mancha —debía de estar diciendo.

—Mire bien, mire bien —debía de insistir Pili, tal y como habíamos quedado.

Clic, clic, clic, clic.

—¡Eh...! —grité yo, trepando por la Montaña Hedionda—. ¡Eeeeh...!

Clic, clic, clic, clic.

—Escucha...

Le agarré de la ropa, tiré de él y rodamos los dos ladera abajo. Oí chirridos de muelles de somier y chillidos de ratas a mi alrededor, pero no me importó. Agrediendo a Charcheneguer de aquella manera, me estaba ganando una buena paliza, pero no me importaba. Lo único que me importaba en aquel momento era recuperar aquella cámara, aquellas fotos. Una cosa era que aquel hijo de su madre quisiera ver a la Sabrina como la había visto (después de todo, no pasaba nada, nadie lo sabría, ni la propia interesada), y otra cosa muy diferente era que aquel hijo de su madre dejara constancia gráfica, pruebas del espionaje. Ya me lo veía fanfarroneando, enseñando las fotos a sus amigos, vendiéndolas incluso en el instituto («¿quién quiere ver los atributos de la Sabrina?»). «Eh, Charche, ¿cómo conseguiste estas fotos tan guay?». «Flanagan me ayudó...».

No me gané ninguna paliza. El monstruo estaba demasiado satisfecho de su proeza como para que le quedaran ganas de jarana. Se incorporó, muy dinámico. Casi bailaba mientras se alejaba de mí.

—¡De coña, tú! ¡Como mínimo habrán salido seis buenas!

—¡Trae esa cámara! ¡No me habías dicho que ibas a hacer fotos!

—¿Ah no? ¡Se me olvidó! ¡Gracias por todo, tío!

Se alejaba. No podía atraparle y, aun en el caso de que pudiera, tampoco podría quitarle la cámara.

—¡No saldrá ni una! —grité—. ¡De noche y sin flash no saldrá ni una!

Manteniéndose a distancia, me obsequió con una pequeña lección de artes aplicadas.

—Cuando sacas una fotografía lo que cuenta es la luz que hay en el lugar que fotografías. ¡Y dentro de la casa había mucha luz! Además, he utilizado un carrete de 1.000

ASA, diez veces más sensible de lo normal... ¡No te preocupes por eso, Flanagan!

Y echó a correr. Y se lo tragó la noche.

Y yo regresé a casa arrastrando los pies y meditando. Meditando cómo podría solucionar aquel nuevo problema.

—¿Te parece que estas son horas de llegar? —me preguntó mi padre desde detrás de la barra.

Le contesté que no, pero ya no me escuchaba, porque al otro lado del local había un tío que había empezado a cantar el himno del Barça y había que hacerle callar.

Subí a mi habitación, me eché vestido en la cama y no sé si pensé o soñé una solución.

El caso es que al día siguiente me levanté a las siete (¡qué sueño tenía, pero no había otro remedio!) y desperté a Pili.

—Tienes que hacerme un favor, Pilastra, bonita. El caso Charche todavía no ha acabado.

—Bueno, bueno —aceptó ella en vez de asesinarme a bofetadas, como habrían hecho todas las hermanas del mundo en su lugar. Qué guapa es, qué buena secre, un día de estos tengo que aumentarle el sueldo—. ¿Qué pasa?

—Tienes que ir a casa de Charcheneguer, esperar a que salga y seguirle hasta la tienda de fotos...

—¿Y por qué no lo haces tú? ¿No eres tú el detective?

—¡Es que a mí me conoce demasiado!

—¿Y cómo sabes que irá a una tienda de fotos?

—Porque lo sé. Entonces, cuando salga de la tienda, entras y preguntas cuánto tardan en revelar un carrete. Preguntas: «Si le trajera ahora mismo un carrete para revelar, ¿cuándo podría pasar a recogerlo?»...

—Ya sé lo que le tengo que decir, Johnny —refunfuñó (al fin y al cabo también es humana)—, no soy subnormal. Lo que quieres saber es cuándo estará revelado el carrete de Charche.

—Es de vital importancia.

—Le había prometido a mamá que la ayudaría a preparar desayunos.

—No te preocupes —suspiré: todo tiene un precio—, ya lo haré yo.

Pili salió y yo me fui a la cocina y le dije a mi madre que iba a ayudarla a hacer bocadillos.

—¿Que quieres ayudarme? —repitió, sobresaltada—. ¿Te encuentras bien, hijo?

—¿Yo? Claro. ¿Por qué?

Lo cierto es que no suelo ayudar a mis padres en su trabajo. La última vez que lo hice rompí dos docenas de vasos y mi padre me dijo que yo debía de ser una gran promesa para la sociedad, pero no en el ramo de la hostelería.

—¿Te han ido mal los exámenes?

—No, mamá. Solo pretendo ayudar.

—No tengo ninguna intención de darte una propina.

—Da lo mismo, mamá.

De modo que me pasé media mañana en la cocina, haciendo tortillas y cortando queso y embutidos para bocatas con el mismo entusiasmo con que le hubiera rebanado las orejas a Charcheneguer. Mientras, mi madre murmuraba que aquel era un día muy extraño, uno de esos días en los que puede pasar cualquier cosa y que ella misma ya empezaba a encontrarse mal. Si le hubiera explicado que era víctima de un chantaje a causa de mi trabajo de detective privado, me habría llevado a rastras a ver a un psicólogo y a continuación se habría metido en la cama con un termómetro en la boca.

Mientras hacía bocadillos y una gran tortilla de patatas (¡que me sale muy bien!) acabé de perfeccionar mi maquiavélico plan anti-Charche. Mi siguiente paso consistía en llamar a mi supuesta socia *tecno* María Gual. Ojalá no tuviera el día tonto. Con María Gual nunca se sabe.

Marqué el número de los Gual aprovechando que mi madre estaba al fondo de la barra, ayudando a mi padre con la máquina de café. En casa, el teléfono está en medio del pasillo y no quería que ninguno de los dos oyera lo que tenía que decirle a María. A los detectives de mis novelas predilectas nunca les pasan estas cosas. Philip Marlowe jamás tuvo que pasar por esta ignominia.

—¿Está María?

—¡Un momento! —Y el grito humillante—: ¡María! ¡Te llama un niño!

Un niño.

—¿Diga?

—Hola, María. Soy Flanagan. ¿Aún somos socios?

—¿Es el primer paso para que seamos más que amigos?

«Jope, cómo aprieta la mujer fatal esta». La había pillado en uno de los días más tontos de la última década.

—Es el primer paso, pero no sé adónde nos llevará —dije, prudente, porque la necesitaba.

—En ese caso sí. Todavía soy tu socia.

—Pues tienes que hacerme un trabajito. Creo que te gustará. ¿Conoces a Charcheneguer?

—Sí. ¡Mmm! ¡Está buenísimo! —Lo que me faltaba por oír.

—¿Y conoces a Montse Bosch?

—Ah, sí. La llaman Sabrina, ¿verdad?

—La misma.

—¿Y por qué la llaman Sabrina, Flanagan? —me preguntó coqueta y provocativa, con ganas de meterme en un compromiso.

—Porque es bizca —contesté sin cortarme ni un pelo—. Presta atención: tienes que ir a ver a Charcheneguer y hacerle creer que a la Sabrina le gusta que le escriban cartas cochinas.

—¿Cartas qué?

—Cochinas. Cartas cochinas.

Mi madre acababa de servir dos cafés y venía hacia mí.

—¿Ah, sí?

María Gual se reía muy alborotada.

—¡Me lo estoy inventando! —exclamé, frenético, mientras mi madre pasaba por mi lado.

—Sí, sí, ya lo entiendo. ¿Y de qué tratan esas cartas cochinas?

Mi madre estaba en la habitación contigua. Seguro que me oía.

—Ya te lo puedes imaginar.

—¿Caca? ¿Pipí? —me incitaba, sin dejar de reír.

—Sexo —susurré.

—¿Cómo dices? ¡No te oigo!

Miré hacia el comedor. No veía a mi madre. Tal vez había subido al piso.

—¡Sexo! —dije.

Mi madre salió de detrás de la vitrina, donde debía de haber estado guardando algo. Me miraba con ojos abiertos de par en par. Me ruboricé de pies a cabeza. Tapé el micro del teléfono y reclamé mi derecho a la intimidad.

—¡Mamá! ¡Por favor! ¡Es una conversación privada!

Ella también se ruborizó mucho y se escondió de nuevo tras la vitrina.

—Bien —estaba recapitulando María, pasándoselo en grande—. Tengo que decirle a Charche que a Sabrina le gusta recibir cartas pornográficas.

—Sí. Pero no se le pueden enviar por correo, como puedes comprender. Imagina que sus padres le abren una de esas cartas y se la leen...

—¡Imagínate!

—Y tampoco se le pueden entregar en mano porque le da mucho corte. Nunca podría recibir una de esas cartas de la mano de quien las ha escrito. Se sentiría como si..., como si...

—Ya te entiendo —me ayudó, por una vez, María—. Entonces, ¿cómo se lo monta para recibirlas?

—Tú eres la intermediaria.

A María se le escapó una carcajada.

—¿Yo?

—Sí. Todos los que quieren escribirle cartas cochinas a la Sabrina te las dan a ti, y tú se las haces llegar... Es un pacto concreto que tenéis entre las dos.

—Muy bien.

—Además, tienes que decirle a Charche que la Sabrina le admira mucho y que tal vez le gustaría recibir una de esas cartitas firmada por él.

—¿Y cómo le encontraré? Te recuerdo que acaban de empezar las vacaciones.

—Y yo te recuerdo que, a partir de mañana, en el instituto se juega la Copa de Navidad de Baloncesto. Allí le encontrarás. Es el encargado de destripar al equipo rival.

—¿Y para qué va a servir todo esto, Flanagan?

—Para salvar nuestra empresa, María. Estamos en peligro. Y tienes que hacerlo hoy mismo. Y, cuando Charche te dé la carta, me la traes a mí, ¿de acuerdo?

—Después de leerla.

—Después de leerla, me la traes a mí.

—Ji, ji, ji —se reía como una ratita—. ¡Cuenta conmigo! ¡Me encantará hacer este trabajo!

Esta María cada día se vuelve más perversa.

Cuando colgué el teléfono, mi madre me observaba desde el fondo del comedor como si me acabara de transformar en un viejo de setenta años y no supiera si tratarme de tú, de usted o de vuecencia. El día le estaba resultando mucho peor de lo que había imaginado.

—¿Qué más puedo hacer?

—¿Qué? —tartamudeó.

—¿Que qué más puedo hacer?

—Ah. ¿Por qué no cuelgas unos cuantos adornos de Navidad en el bar, que hay muy pocos?

De modo que me pasé la otra mitad de la mañana en plan navideño, encaramado a una escalera, colgando bolas rojas y azules, serpentinas deshilachadas y una estrella donde se leía «Feliz Navidad». Los clientes del bar repartían su atención entre mis equilibrios en lo alto de la escalera y la tele, donde los niños del colegio de San Ildefonso cantaban los premios de la lotería. Cuando contemplaba las expresiones de profundo aburrimiento, de nula esperanza, que exhibía la parroquia, me preguntaba dónde estaría aquella alegría que, en teoría, se contagian unos a otros en Navidad. Y no sabía qué contestarme.

También observé que mi padre y mi madre conspiraban y supe que yo era el protagonista de sus murmullos. Mi madre había quedado trastornada después de oír mi conversación telefónica. Seguro que había oído la palabra «sexo» y esta es tal vez la palabra que más nerviosos pone a los padres.

Efectivamente: tan pronto como tuvo ocasión, mi padre me acorraló en un rincón del bar.

—Juan... Quería hablar contigo —anunció, muy ansioso.

—¿Ah? —hice yo.

—Verás, Juan... Con el bar... Con tanto trabajo... no nos queda mucho tiempo para hablar... Tú te estás haciendo mayor y... Bueno... Ya no eres un niño y... Creo que deberíamos hablar... de hombre a hombre, no sé si me entiendes...

—Estaba pasando un mal trago, pobre hombre, y yo no sabía qué decirle para ayudarle. (Me temo que la palabra «sexo» también pone muy nerviosos a los hijos). Pero ¿quién había hablado de sexo?

Fue entonces cuando llegó Pili, muy excitada y cargada de noticias.

—¡La que se ha armado, la que se ha armado! —repetía.

—Un momento, por favor, que estoy hablando con papá.

El aludido hizo un gesto de «oh, no os preocupéis por mí», pero la actitud respetuosa de Pili le cortó la retirada.

—No, no, di, di.

—Pues... Te estaba diciendo, Juan, que... —Tragó saliva—. Bueno, esto no se puede discutir en dos segundos, aquí, de pie en medio del bar, con la de trabajo que hay por hacer, pero quería decir que... Si quieres saber cualquier cosa, si quieres que te oriente, quizá... Me refiero a que más vale que se comenten estas cosas en casa que no en la calle... Yo, bien, ya sabes que siempre que quieras, quiero decir, creo que es mi obligación, de modo que no dudes...

Le salvó la clientela.

—¡Juan! —le llamaron.

—¡Voy! —exclamó, como el náufrago que le hace señales al barco salvador—. Ya seguiremos hablando, ¿eh? —me dijo a mí.

Y corrió a esconderse tras la barra.

—Quería saber si ya habías hecho el amor con una chica —dedujo Pili.

—Ya me he dado cuenta —dije yo.

—¿Y lo has hecho?

—No es de tu incumbencia.

—O sea, que no.

Muy lista, mi hermanita. Muy lista.

—Bien —le dije, yendo al grano—. ¿Qué ha pasado?

Prefirió explicármelo en privado. Nos encerramos en mi habitación.

—Bien, ¿qué ha pasado? ¿Qué ha hecho Charche?

—¡Bah, eso no tiene ninguna importancia! —exclamó Pili. ¿Que no tenía importancia lo que hubiera hecho Charcheneguer? Para mí no podía haber nada más trascendental en el mundo—. Ha dejado las fotos en la tienda del señor Rodríguez.

Era de prever. El señor Rodríguez era el que revelaba a precios más económicos en el barrio y, además, no demostraba mucho interés por su negocio. No miraba las fotos ante tus narices ni te hacía comentarios técnicos, como hacen muchos fotógrafos. No había peligro de que abochornara a Charcheneguer.

—Como hoy es viernes, y el sábado no pasan los del laboratorio, y el lunes es Navidad y el martes San Esteban, no tendrá las fotos hasta el jueves o el viernes de la semana próxima.

—Bien —pensé en voz alta—. Esto nos da casi una semana de margen.

Pili no me dejó seguir reflexionando. Una vez acabado su informe, quería pasar a los hechos que tanto la habían emocionado:

—¡No quieres saber qué ha pasado en la tienda del señor Rodríguez mientras estaba allí...!

—¿Qué ha pasado? —pregunté con desgana.

—¿Conoces a una niña con pinta de gitana, muy morena, muy guapa...? —De repente, el relato empezaba a interesarme—. Una que ayer estaba aquí, mientras discutías con el Plasta...

—Sí, sí, ya sé a quién te refieres. ¿Qué ha pasado?

—¿La conoces mucho?

—No mucho. No demasiado. Nada.

—Pues ella tiene muchas ganas de conocerte.

—¿Ah, sí?

—El señor Rodríguez la ha pillado cuando intentaba robar un teleobjetivo. Y ella se ha puesto a gritar: «¡Lo necesito, lo necesito para pagar los servicios de Flanagan!». —Y puntualizó, para dejar las cosas bien puntualizadas—: ¡Quería robar el teleobjetivo para contratarte, hermanito!

Jope.

3

Hay padres que pegan a sus hijos

Después de comer, salía corriendo del bar, decidido a registrar todos los rincones del barrio hasta dar con la enigmática morenita, cuando tropecé con su negra mirada plantada en la acera de enfrente. Llevaba un jersey de lana rosa, grueso y holgado, unos tejanos descoloridos, muy ceñidos a las piernas, y botas camperas. No era muy alta, y tal vez le faltaban algunos quilos, y su actitud era de muchachote provocador, pero había un gran atractivo en su cuerpo elástico, hecho de uno de aquellos materiales que no se rompen por más que los dobles. Su mirada, bajo aquella mata de pelo negro, era tan penetrante que incluso lanzada desde el otro lado de la calle tenía el poder de trastornarme.

Pili me había contado con todo detalle lo que aquella chica había hecho por mí.

Charcheneguer acababa de salir y en la tienda solo quedaban mi hermana, el señor Rodríguez y un hombretón gordo y grosero que tenía un puesto en el mercado y al que llamaban Lechón. Pili estaba diciendo «si le trajera un carrete ahora mismo...», cuando el señor Rodríguez se enciende, ruge «¡cagüendiez...!» y salta por encima del mostrador como si quisiera comerse a alguien. La chica morena, sorprendida con un teleobjetivo en las manos, intentó ganar la puerta, pero las manos del Lechón la atraparon por detrás, cayendo sobre sus hombros, y la clavaron en el suelo. El Lechón soltó una carcajada que heló a Pili la sangre en las venas. Era una carcajada, dijo, «no sé cómo explicártelo, como de violador». Agarra a la chica por los brazos y la levanta del suelo como si no pesara nada. Y la encara al señor Rodríguez que, tan buena persona como parecía, se había transfigurado en una especie de energúmeno.

—¡Ya te enseñaré yo, gitana de mierda! —gritó, con todas las letras.

—¿Aviso a la policía? —preguntó el Lechón, muy contento, como si su máxima ilusión consistiera en encerrar niñas en calabozos.

—¡No, no sirve de nada! Entran por una puerta y salen por la otra. ¡Ya me encargaré yo de que no vuelva a hacerlo más esta...! —Los insultos más fuertes se hacen insoportables cuando van dirigidos a una menor.

Pili lloraba y decía: «No le peguen, no le peguen», pero la morena no lloraba. Solo repetía que quería contratar a Flanagan, como si aquello representara una explicación suficiente para disculparla.

El señor Rodríguez le propinó un sopapo con la mano abierta, un sopapo de aquellos que vienen de lejos y con ganas.

¡Plafff!

—¡Así aprenderás!

El Lechón sujetaba a la chica en el aire, tratando de aparentar que no le pesaba nada, que aquello era para él como levantar una pluma, pero empezaban a temblarle las manos y la sonrisa. Y animaba al otro:

35

—¡Dele fuerte! ¡Aún es poco, para lo que se merece!

El señor Rodríguez disparó un nuevo golpe, pero para entonces la morenita ya había empezado a moverse con formidable furia, pataleando en el aire y moviendo la cabeza hacia adelante y hacia atrás. Y al mismo tiempo que la segunda bofetada se perdía, inofensiva, sin dar en el blanco, la nuca de la víctima se clavó en la nariz del Lechón, que empezó a sangrar de inmediato, *¡croc!*, «¡ay!». Y, quién sabe si aposta o por casualidad, una de las piernas de la chica, balanceándose hacia atrás, acertó de lleno en ese punto tan sensible que los hombres tenemos entre las piernas, y el Lechón soltó a la chica y un taco, y se abalanzó hacia adelante en el preciso momento en que el señor Rodríguez lanzaba una nueva bofetada, que acertó de lleno en la mejilla de su cómplice. *¡Pataplaf!*

Y el Lechón que se sulfura y grita: «¡Que me estás dando a mí, *desgraciao*!», el señor Rodríguez que replica: «¡Pues si no te movieras tanto!». El Lechón que le empuja: «¡Ya te enseñaré yo a moverte, gilipollas!», y los dos fueron a parar sobre el mostrador, mientras la morenita salía a la carrera de la tienda y Pili dejaba de llorar para ponerse a reír.

Después de todo aquello, yo no podía dejar de cruzar la calle y encararme con ella.

—Hola, soy Flanagan —le dije.

—Ya lo sé —contestó, dándome la bienvenida con una chispa juguetona en las pupilas.

—¿Cómo te llamas?

—Carmen. —Hablaba con un delicioso acento andaluz.

—¿Querías hablar conmigo?

—Sí.

Alargué un brazo y le acaricié la mejilla donde tenía el cardenal, cortesía del señor Rodríguez. Y ella no apartó la cara. Se limitó a sonreír de otra forma, frunciendo los labios, como diciendo: «Bah, no hagas caso, no tiene importancia, son cosas que pasan».

—Me han contado lo que has hecho. No deberías ir diciendo que robas para pagarme. Podrían acusarme de inducirte al crimen.

—Yo no he robado.

—Te ha faltado poco.

—Pero no he robado. No soy una ladrona.

—Bueno, de acuerdo, de acuerdo.

—Pero necesito que me ayudes y no puedo pagarte. Y como te oí decir que necesitabas un tele... No se me ocurrió otra cosa.

Me encogí de hombros, interpretando el papel de Sir Flanagan, el Generoso.

—No importa. Explícamelo todo. ¿Damos un paseo?

Empezamos a andar en dirección a las Torres y a la escuela y ella se puso a mi lado. Me deslumbraba con sus ojos entusiasmados, como si me quisiera hipnotizar.

—¿Por qué te llaman Flanagan?

Le costaba entrar en materia. No sabía cómo empezar y tampoco sabía disimular su inquietud.

—No sé —dije, perdiendo el tiempo para seguirle la corriente—. Todos los detectives se llaman Flanagan.

—Pero no es un nombre cariñoso. ¿Cómo te llaman tus amigas? ¿Flani? No me gusta. ¿Flanaguín? Tampoco.

—A mí tampoco me gusta. ¿Qué te hace suponer que me gustan los diminutivos?

—Me gusta más Juan. Tú te llamas Juan, ¿no? Juan. Me gusta más. Juanito.

Frené en seco. No puedo soportar que me llamen Juanito.

—¡Ah, no, Juanito, no! Mira, si lo que te gusta es bautizar a la gente, ¿por qué no te vas a jugar con muñecas?

Ella recompensó mi actitud de duro con una sonrisa blandísima que era como un piropo.

—¡Qué gilipollas estás hecho! —dijo encantada.

—¿Y tú de qué vas? ¿De Juanita Calamidad con dodotis?

Estalló en una carcajada que me enamoró. No pude evitar unirme a sus risas. Me maldije los huesos por aquella muestra de debilidad y seguí caminando, vencido, fingiendo malhumor.

—Está bien. ¿Qué te pasa? Parece como si te costara mucho explicarlo.

Suspiró. Hundió las manos en los bolsillos de los ceñidos tejanos. Habló mirando al suelo.

—Mi sobrino ha desaparecido —dijo.

Lo decía como si nada, como si no tuviera importancia, pero me entraron ganas de pasarle el brazo por los hombros y acercarla a mí, como para transmitirle un poco de calor. Incluso antes de que empezara a explicarme su vida ya provocaba la sensación de que hacía mucho tiempo que nadie le transmitía ninguna clase de calor.

Carmen vivía con sus padres, los señores Ruano, en las llamadas Casas Buenas del barrio, que de buenas no tenían nada. Su padre cobraba del paro y hacía trabajos ocasionales de fontanero o de albañil por el barrio. La señora Ruano iba a fregar suelos por los pisos del Ensanche.

Carmen tenía una hermana llamada Feli, casada con un chorizo llamado Manolo. Manolo Molinero, alias «El Latas». Vivían en las Barracas, la zona más miserable del barrio, al lado mismo del cementerio, y más exactamente, de la fosa común, donde se rumoreaba que los niños acostumbraban a hacer macabros descubrimientos mientras jugaban. Manolo no había trabajado nunca. Era hombre de taberna y de borrachera persistente, negociante de asuntos turbios y desconocidos, habitual de comisarías y cárceles, jugador espléndido e inconsciente mientras en casa faltaba la comida, y mano larga, muy larga, cuando estaba de mala luna. En más de una ocasión, Feli había ido a llorar a casa de sus padres, a la casa donde vivía Carmen, señalada de pies a cabeza a causa de una paliza. En más de una ocasión había recibido incluso la propia Carmen, cuando estaba demasiado cerca de la bestia y la bestia sufría uno de sus arrebatos de mala leche. En más de una ocasión, Feli había ido al mercado con dinero salido del bolsillo de su padre, el viejo Ruano, después de visitas patéticas, con abundancia de sollozos y maldiciones.

—¿Y tu padre no puede pararle los pies? —le preguntaba yo, incapaz de reprimir la indignación—. ¿Es que nadie puede pararle los pies? ¿Por qué no le denuncian a la policía? ¿Y por qué no se va Feli? ¿Por qué no le deja?

—Ya sabes cómo son estas cosas —contestaba Carmen, dejando que yo llenara de significado esta réplica aparentemente banal.

Porque había visto muchas cosas parecidas en el barrio, muchos Manolos que frecuentaban el bar de mi padre, Manolos que se ponían morados de alcohol y que perdían el sueldo por el agujero de las máquinas tragaperras, náufragos irresponsables a los que tenía que venir a buscar alguna esposa abnegada y amargada para cargarlos y arrastrarlos hasta su casa. Y las esposas siempre los iban a buscar y parecía que nunca se les ocurría la posibilidad de acabar con todo aquello, como si el llanto y la paciencia fueran inagotables.

—¿Y por qué no le abandona, por qué no le manda al cuerno y se va a vivir por su cuenta? —les preguntaba yo a mis padres, pasmado, incapaz de comprenderlo.

—Vete a saber —contestaba mi madre, entre escéptica y melancólica—. Tal vez están enamorados.

No. Si el amor es lo que yo creo que es, alegría, estímulo, esperanza, aquello no tenía nada que ver. Más bien era lo contrario: abandono, derrota, final de todo y principio de nada.

Y después estaban los niños, los compañeros de clase que un buen día llegaban con una cicatriz en la cabeza, un ojo morado, una mano vendada, y «¿qué te ha pasado?», «nada», aquella mansedumbre de contestar «nada», que tanto quería ocultar y tan explícita resultaba. «Nada». Ninguno estaba dispuesto a admitir que sus padres le pegaban. Les daba vergüenza. Encima.

Y yo no podía evitar la pregunta:

—Pero ¿cómo es posible?

—¿A ti no te ha pegado nunca tu padre, Flanagan? —me preguntó Carmen, un poco incrédula, un poco envidiosa.

—No —contesté rápidamente. Mi padre no es demasiado propenso a las demostraciones de afecto—. Bueno, una vez, cuando tenía diez años, quise trucar el motor de su furgoneta nueva y... Pero, vaya, gracias a aquel sopapo comprendí que mi futuro no estaba en la mecánica.

—Hay gente a la que le gusta pegar a los niños —me dijo Carmen, como si tuviera que convencerme de algo que yo no podía ni imaginar.

Pensé en el señor Rodríguez y el Lechón, agarrándola y golpeándola aquella mañana, y comprendí lo que quería decirme.

—Y tu cuñado Manolo es uno de esos.

Carmen afirmó con la cabeza.

—Hace dos meses, Feli tuvo un hijo. Se llamaba Jose. —Rectificó—: se llama.

A mí se me encogía el corazón. No me atrevía a preguntar nada. De hecho, no quería escuchar lo que Carmen tuviera que decirme.

Paseando, habíamos llegado hasta el patio del instituto. Nos detuvimos allí, ante la verja metálica. Al otro lado, algunos compañeros jugaban al fútbol, mientras otros hacían *skateboard*. De vez en cuando, los futbolistas derribaban a algún *skater* de un balonazo y los *skaters* se vengaban embistiendo a los futbolistas precisamente cuando iban a marcar gol. Unos y otros acababan persiguiéndose y pasándoselo en grande. Me pregunté cuántos de aquellos chicos habrían sido maltratados alguna vez, tal vez cuando eran bebés, a cuántos de ellos les esperaba la violencia y el terror cuando llegaran a casa, y por primera vez en la vida se me ocurrió que tal vez podría hacer algo para combatir esa injusticia.

—Dos meses. —Hice un esfuerzo para romper el nudo que me bloqueaba la garganta—. Un niño de dos meses.

Carmen prosiguió el relato con ganas de finalizarlo cuanto antes.

—Cuando Jose nació, mi cuñado envió a Feli a mendigar al metro con el bebé. No hace falta decir que, mientras ella mendigaba, él paseaba por el barrio sin dar golpe, fanfarroneando y... Hace un par de días, fui a ver a Feli, y me la encontré llorando. Al principio pensé que Manolo la había pegado. Después me di cuenta de que el niño, Jose, no estaba. Ni él, ni la cuna, ni nada.

—No estaba —repetí yo, muy impresionado. Me parecía que era la cosa más terrorífica que me habían contado nunca.

—No. Y yo le pregunté a Feli: «¿Dónde está Jose?», y ella aún lloraba más, muy desconsolada, y repetía: «Ahora estará mejor, ahora estará mucho mejor que con nosotros». «Pero ¿dónde está?». Y no me lo quiso decir.

—¿Y dónde crees que está? —le pregunté, abrumado por abominables presagios.

Carmen hizo una pausa, como el boxeador que toma aire antes de propinar el golpe definitivo:

—Creo que Feli lo ha regalado.

No era esta la respuesta que yo me temía. No era lo que esperaba después de saber que Manolo maltrataba a su hijo y que este hijo desapareció un buen día. Me temía algo peor, muchísimo peor. Y por tanto, ante la posibilidad de una salida más amable, me sentí tan aliviado que se me escapó una carcajada de felicidad.

—¿Pero qué dices? ¿Regalado? —me resistía con muy poca convicción. «Sí, sí, regalado», me repetía yo, «convénceme Carmen, convénceme, no me permitas que piense lo que estoy pensando»—. ¿A quién quieres que lo haya regalado? La gente no regala bebés... ¿Quién iba a aceptar un bebé...?

—Hay mucha gente que querría tener hijos y no puede, y que los adoptaría con mucho gusto.

«Sí, claro, es eso», me emperraba en creer que aquella era la respuesta correcta. Pero ¿y si no lo era?

—¿Y qué quieres que haga? Si lo ha regalado, lo ha regalado. No podemos hacer nada. Estará mejor donde esté ahora, lejos de Manolo...

—Pero le llora, Flanagan. No puede vivir sin él. Es su hijo. Era su único consuelo.

—Sí, bien, pero...

No había escapatoria. En realidad, los dos estábamos pensando lo mismo. Los dos temíamos que pudiera haber pasado lo peor. Y los dos teníamos necesidad de aclararlo. Si era cierto que el niño estaba mejor, perfecto, queríamos saberlo para celebrarlo. Y si no... Si no... Teníamos que hacer algo. Si había pasado lo que nos temíamos, no podíamos consentir que aquello quedara impune.

—Bueno —acepté—. Haré lo que pueda.

El premio a mis insensatas palabras consistió en una mirada de admiración que justificaba por sí sola todos los quebraderos de cabeza que pudiera tener a lo largo de mi vida.

—¿De verdad?

—De verdad. Eeeh... Empezaré ahora mismo... Eeeh... ¿Dónde iba a mendigar tu hermana?

—Al metro de la plaza de Cataluña.

—Iré a echar una ojeada. Pero no te hagas muchas ilusiones. Creo que esto escapa a mis posibilidades.

—¡Claro que no! —estalló ella en risas—. ¡Estoy segura de que lo resolverás!

Me abrazó muy fuerte y me besó en la mejilla, y me parece que me ruboricé...

Ah, y creo que me enamoré.

4

El altar de los mitos vivientes

ntes de meterme en los grandes entuertos, creí opor-
tuno prepararme una salida, para entuertos más
modestos. Por esta razón, pensando en el maldito
Charcheneguer y en su chantaje, el sábado por la mañana,
antes de abordar el caso del sobrino desaparecido, pasé por
el instituto.

El patio estaba lleno de alumnos exaltados que gritaban,
cantaban, animaban e insultaban a los deportistas que hacían botar la pelota entre las dos canastas. Me entretuve
unos minutos observando cómo Charcheneguer enviaba al
base y a un alero del equipo rival a la enfermería, intercambié un guiño de complicidad con María Gual y finalmente
entré en las dependencias del instituto. Todos estaban fuera, asistiendo a las semifinales de baloncesto, y las aulas y
las oficinas se hallaban totalmente desiertas.

Iba a toda velocidad por el pasillo y, al doblar una esquina, casi me estrello contra la directora, la señorita Montserrat Tapia, que venía en dirección contraria.

—¡Eh, Anguera! —exclamó, llamándome por mi apellido,
tan tolerante como siempre—. ¿Adónde vas con esas prisas?

—Voy a, eh, a... —No tenía una respuesta preparada.

—¿De quién huyes? —me ayudó—. ¿De la poli o de los narcos?

—Nunca se sabe —le seguí el juego—. Los detectives siempre están en la frontera que separa a unos y otros.

—¿De quién es la frase? ¿De Philip Marlowe? ¿De Sam Spade?

—¡De Johnny Flanagan! —le grité, a distancia, mientras reanudaba mi carrera.

La señorita Montserrat Tapia, directora del instituto, no tenía aspecto de directora de instituto, como se puede deducir de nuestra rápida conversación. Era joven, alta, guapísima y simpática. La mitad de los alumnos del instituto se habían enamorado de ella, y más de uno había caído en la tentación de hacer alguna gamberrada sonada solo para que le castigasen a ir a su despacho y gozar del placer inconfesable de ser reñido por ella. Reñía muy bien la señorita Montserrat Tapia.

Y tenía la ventaja de que se llamaba Montserrat.

El taller de periodismo estaba abierto y solitario, como era de prever en aquel caótico primer sábado de vacaciones. Había ordenadores y viejas máquinas de escribir, tapadas con fundas de plástico gris, y folios y sobres. En un abrir y cerrar de ojos, tecleé en un sobre el nombre de la directora, «Señorita Montserrat Tapia», y la dirección del instituto. Me lo guardé todo en el bolsillo y, mientras salía tranquilamente, decidí que ya podía entregarme en cuerpo y alma al caso del sobrino de Carmen.

Tomé el metro en la plaza del Mercado y me trasladé a donde Carmen me había dicho que Feli mendigaba.

Yo había pasado muchas veces por aquel submundo laberíntico que hierve bajo la plaza de Cataluña y que está formado por los accesos a los ferrocarriles de la Generalitat, el aparcamiento subterráneo, los lavabos públicos y los pasillos del metro, pero nunca me había parado a considerar la Corte de los Milagros que allí se congrega. Refugio de marginados, algunos de aspecto aterrador, y reducto de negocios un tanto peculiares, el lugar impresionaba. Vi *hippies* estropajosos que interpretaban canciones de Dylan a la flauta, rockeros desesperados que golpeaban ensordecedoras guitarras e incluso un alegre hombrecillo que hacía sonar una minúscula corneta de juguete. Había puestos de hombres y mujeres que leían el futuro en cualquier parte: en las cartas del tarot, en la palma de la mano, en el fondo de los ojos, en las tazas de té, en la suciedad de las uñas. Un médico, con cara de médico y estetoscopio de médico, se había montado un miserable consultorio médico donde el transeúnte podía tomarse la presión arterial. Y mendigos. Mendigos de todas clases. Mujeres gordas y mujeres delgadas, mujeres con niños de pecho y niñas con pecho de mujer, jóvenes pletóricos de salud y decrépitos viejos.

Y hombres inquietantes apoyados indolentemente en la pared, con todo el aire de estar tomándose un suspiro entre asesinato y asesinato.

Me fijé en uno de estos últimos porque también él se fijó en mí y no me quitaba la vista de encima. Llevaba una espectacular chaqueta a cuadros blancos y negros y un pañuelo rojo al cuello. Era joven, alto, rubio, y tenía la sonrisa resquebrajada. Me dio la impresión de que debía de gustarle la carne poco hecha y que más me valdría mantenerme alejado de él.

No sabía ni por dónde ni cómo empezar. Aún no había hablado con nadie y ya notaba síntomas de desánimo. Aquel no era mi terreno, ni sabía cómo entablar conversación con aquella gente. Se me antojaban peligrosos, misteriosos, deprimentes. Me aterraba la visión de aquellos niños de pecho, demasiados dormidos, demasiado quietos, como muertos, en brazos de madres indiferentes. En alguna ocasión había oído que las mendigas alquilaban a los niños para dar más pena, y que les daban licor, o alguna droga para que se estuvieran quietecitos y no molestaran. El recuerdo de esta leyenda me dio ánimos para ponerme manos a la obra.

Haced sitio, muchachos, que viene Flanagan, el defensor de la infancia maltratada.

Pregunté por Feli a dos echadoras de cartas.

—... Feli, una mujer que mendigaba aquí, con un recién nacido en brazos, y que de pronto ya no tiene al bebé; me gustaría saber qué ha pasado.

Una de las pitonisas quería consultarlo con el tarot a cambio de los honorarios establecidos en su cartel, lo que quedaba fuera de mis posibilidades. La otra se enfadó porque dijo que no sabía nada de mendigas, que ella era una médium profesional y no podía perder el tiempo hablando con niños impertinentes.

De reojo podía ver al hombre de la chaqueta espectacular muy atento a todos mis movimientos.

Para hacerme simpático al viejo que tocaba el violín, le felicité por su interpretación de *Granada* y resultó que estaba tocando *Valencia*.

Cuando le pregunté por Feli («... una mendiga que venía por aquí...»), una anciana de aspecto espabilado que sonreía como si viera visiones de ensueño me miró con aire de inteligencia y me pidió unas monedas para el metro. Se las di e insistí («... con un bebé en brazos...») y la astuta mendiga repitió su cantinela de las monedas para el metro.

47

—Pero si ya le he dado... —Tragué saliva. Bien, tal vez no bastara para pagar la información. Imitando a los detectives de las películas, le puse más monedas en la mano. No estaba nada seguro de no estar dilapidando mis ahorros: la sonrisa de la anciana empezaba a parecerme una prueba inequívoca de que estaba un poco chiflada—. ¿Así está mejor? —Y volví a la carga—: ... que de pronto ya no tiene al niño...

¡Clonk! ¡Tok! A la anciana se le cayeron las monedas al suelo, se le borró la sonrisa de la cara y se le atragantó la cantinela. Se le borró la sonrisa y se le pusieron ojos de animal que de pronto ve acercarse a los cazadores. Ojos que decían que sí, que allí se había regalado un niño, pero que si yo seguía preguntando pronto tendría problemas.

Recogió las monedas y se alejó. Yo me había quedado helado. Ahora estaba más seguro que nunca de que aquel no era mi terreno. ¿Qué tenía que hacer? ¿Seguirla y obligarla a hablar por la fuerza? ¿Sobornarla con la calderilla de la que disponía? ¿Qué hubiera hecho Philip Marlowe en mi situación? O, para ser justos: ¿Qué hubiera hecho en esta situación *cuando tenía mi edad*?

Además, el hombre de la chaqueta de cuadros y el pañuelo rojo anudado al cuello se había convertido en una especie de chinche insoportable. Si hubiera medido un par de palmos más, ya le habría increpado, pero no me atreví. Era demasiado alto, demasiado joven, demasiado fuerte y demasiado descarado. No me pareció que le pudiera intimidar fácilmente. De modo que me di media vuelta y tomé la decisión de volver a mi barrio, pese a no tener ninguna información satisfactoria que proporcionarle a Carmen.

—¡Eh, chico! —gritó el hombre de la chaqueta espectacular a mis espaldas.

Experimenté una especie de sacudida en todo el cuerpo. Ahora tal vez sería el momento de explicar que me encaré con él y le dije: «¿Se puede saber qué quiere de mí?...», pero prefiero ser fiel a la verdad. Eché a correr.

—¡Eh, chico! —repitió él.

Salí hacia la calle Rivadeneyra subiendo los peldaños de tres en tres. Temía que aquel hombre gritara que le había robado, ya me veía sujetado por todos aquellos fulanos de aspecto inquietante que no parecían tener otro trabajo que contemplar mi carrera.

Me detuve, jadeante, en medio de la multitud que va y viene, ciega, por la plaza de Cataluña. A pesar de la abundancia de testigos, no me sentía demasiado seguro. No creía que nadie moviera ni un dedo si veían que mi perseguidor me ponía la mano encima. Miraba obsesivamente la boca del metro, esperando verle emerger de repente. Pero no salió por allí. Lo había hecho por otro lado y me sorprendió por detrás.

—¡Eh, chico...! —Di un salto y proferí un grito al sentir que la mano caía sobre mi hombro y me inmovilizaba—. ¡Espera, hombre, tranquilo, que yo conozco a Feli!

Le miré. No parecía mala persona. Aunque iba mal afeitado y tenía los dientes sucios y torcidos, sus ojos jóvenes y vivaces me invitaban a confiar en él. Me convenció ofreciéndome la mano abierta. No hay muchos adultos que saluden así a la gente de mi edad. Se la estreché.

—Me llamo Ángel Vila —me notificó—, y creo que tenemos intereses comunes.

—Yo me llamo... Juan. —Nunca me he atrevido a reconocer el nombre de Flanagan ante un adulto.

—Bien, Juan. Me parece que estás buscando a un niño que ha desaparecido, ¿no? Te he estado oyendo...

—Sí.

—El hijo de Feli.

—¿Usted conoce a Feli?

—Aquí todos la conocemos —me confirmó. Y se aseguró—: Es aquella que pedía con un bebé, ¿verdad?

—Sí.

—Y ahora ya no tiene bebé.

—¿Qué se ha hecho de él? —pregunté.

—¿Quién eres, y por qué quieres saberlo?

—Bueno... Soy amigo de la hermana de Feli. Está muy preocupada por la desaparición del niño, y Feli está muy triste, se pasa el día llorando...

—¿Y qué te ha dicho Feli sobre el bebé?

—No me ha dicho nada. Pero supongo..., suponemos que... —mientras lo decía, me di cuenta de lo absurdo de la suposición— lo ha regalado.

—¿Regalado? —exclamó Ángel Vila. Le parecía un disparate como una casa—. ¿Regalado? ¡Ja! ¿Regalado, su propio hijo? —se escandalizaba—. Pero ¿qué clase de madre es esa?

—Su marido maltrataba al bebé... Feli lo habría regalado para que no sufriera...

—En ese caso, ¿por qué tendría que llorar?

—Porque... le echa de menos...

—¡Ja, ja, ja! —replicó él. No era una carcajada: era una sucesión de gritos sarcásticos que tenían el poder de invalidar por completo cualquier hipótesis que yo hubiera elaborado. De pronto, volvió a la realidad—: No, amigo, no...

—¿Entonces? —dije yo.

—Le quitaron el niño.

«Quitar». Lo dijo de tal forma que la palabra adquirió un notable peso específico. Parecía tener más sentido que cualquier otra palabra del mundo. «Quitar». Por eso lloraba Feli. Si le quitaron a Jose, todo encajaba.

—Verás —dijo el hombre antes de que yo pudiera salir de mi desconcierto—: yo también estoy investigando el caso. Soy detective privado.

—¿Quéééé? —jadeé. ¡Un detective privado de verdad! Le envolvió una aureola refulgente mientras el hombre empezaba a levitar, despegándose del suelo y subiéndose al altar de los mitos vivientes, y yo me veía en la obligación de hincarme de rodillas ante él—. ¿Detective privado?

—Bien, no exactamente —aclaró, modesto—. Trabajo para un par de agencias, o para periódicos. Les hago lo que se llama trabajo de campo. Voy a los lugares indicados, observo, tomo notas, hablo con la gente...

—¡Detective privado! —insistí yo—. ¡Es lo más parecido a un detective privado que he conocido nunca! ¿Sabe? ¡Yo también quiero ser detective privado cuando sea mayor! ¡Bueno, ahora mismo ya lo soy un poco!

—Ya me lo había parecido. Ven, vamos a la terraza de aquel bar, el Zúrich. Te invito y podremos hablar tranquilamente.

Me rodeó los hombros con el brazo y, como si fuera Supermán, me llevó volando por encima de la plaza de Cataluña y fuimos a aterrizar a la terraza del bar Zúrich, donde incluso encontramos una mesa libre, al sol, y nos sentamos como dos colegas muy profesionales. (Bueno, tal vez las cosas no sucedieron exactamente así, pero a mí me lo pareció).

—Fue un secuestro, aquí mismo, a la luz del día. Todos lo vieron, y muchos de ellos me lo han contado. Me lo han contado a mí, porque los conozco, me he ganado su confianza, pero lo negarían ante la policía o ante cualquier desconocido... —De alguna manera me estaba justificando a la

51

anciana aquella—. Lo vieron, pero no pudieron hacer nada. Era un matrimonio de ricachones, abrigos de pieles y anillos en los dedos, ya me entiendes. Se acercaron a Feli, hablaron un momento con ella, le pidieron que les dejase tener al niño en brazos... Y, cuando ella se lo dejó, salieron por piernas.

—Pero ¿por qué? —exclamé yo.

—Son gente que no puede tener hijos, y como es muy difícil adoptarlos... Y como se creen muy poderosos, intocables, sencillamente los roban.

Vino el camarero. Ángel Vila pidió un whisky, como es natural. Yo me conformé con una Coca-Cola. Y, mientras el camarero iba a por el pedido, proseguí con el tema:

—¡Pero esto es intolerable! ¡Tenemos que denunciarlos!

—¿Ir a la policía? Tú no sabes quién es esa gente...

—¿Y usted sí? ¿Sabe quién es?

Suspiró. Le vi preocupado, como si tuviera que decirme algo y no se atreviera.

—Sí —confesó por fin—. Sé quién es. —Y, apoyándose en la mesa de mármol, adoptó el tono de quien se entrega a confidencias para decir—: Me impresionó mucho este caso. Tanto que me puse a investigar por mi cuenta, sin que nadie me lo pidiera. Y localicé al matrimonio de ladrones. Es indignante, chico. —Se le veía abrumado por la realidad. Emocionado y furioso al mismo tiempo, era capaz de transmitirme su tristeza y su rebeldía—. Los señores Rocafort. Gente bien situada, arrogante, demasiado segura de sí misma, sabes a qué me refiero, ¿no? Toman lo que quieren y saben que no tendrán que dar explicaciones porque nadie se las pedirá.

Calló mientras el camarero nos servía el whisky y la Coca, y mientras yo digería la indignación que me transmitía.

—Pero tenemos que hacer algo —protesté.

—No podemos hacer nada —dijo él—. A estas alturas, los señores Rocafort ya habrán contratado abogados y estarán moviendo influencias para conseguir la adopción legal del niño. Y, cuando lo consigan, ya no habrá nada que hacer.

—Pero —dije yo, resistiéndome a darme por vencido— antes de que lo consigan, aún tenemos la oportunidad de...

Nos miramos.

—¿Qué estás tratando de decir? —me preguntó Ángel Vila frunciendo las cejas. Él sabía perfectamente lo que yo pensaba. En realidad, los dos estábamos pensando lo mismo. No hacía falta que dijera nada—. ¿Te refieres a que serías capaz de... secuestrarlo? —Sonaba muy fuerte. Él mismo rectificó—: Claro que no sería un secuestro, sino una simple recuperación.

—No te hagas el tonto —protesté yo—. No me digas que no se te había ocurrido.

—Claro que se me había ocurrido, pero... —Sonreía acariciando una tentación a la que parecía a punto de ceder—. No será un secuestro, porque el niño no es suyo. De hecho, se lo devolveremos a su auténtica madre. Ni siquiera podrán poner una denuncia. —Dejó de soñar. Me miró directamente. Acababa de tomar una decisión—. Espera aquí. No te muevas. ¡Voy a prepararlo todo!

Me dejó solo en la mesa de la terraza del bar. Desapareció entre la gente de la plaza. No pagó las consumiciones y me asaltó una sospecha de víctima. ¿Habría sido capaz de timarme solo para que le pagara un whisky?

Me entró un desasosiego asfixiante. Saqué las monedas que llevaba en el bolsillo y las conté. No creía que me llegara para pagar el whisky y la Coca.

Y ya estaba calculando la manera de salir por piernas...

... Cuando, de las entrañas de la tierra, procedente de aquella especie de Corte de los Milagros en la que todo era posible, surgió de nuevo Ángel Vila, muy decidido, acompañado por un hombre gordo y desastrado, con vientre de embarazada y un mono azul manchado de grasa.

—¡Vamos, Juan! —exclamó mi héroe—. ¡Tenemos un plan perfecto!

Pagó las consumiciones y salimos echando chispas hacia el tejemaneje más grande que os podáis imaginar.

5

El principio del embrollo

Subimos hacia Pedralbes, el paraíso millonario de los bienaventurados que se lo pueden pagar, metidos los tres en un Seat del año de Maricastaña.

—Un detective debe tener un coche anónimo, que no llame demasiado la atención —me explicó Ángel Vila, como dando a entender que si no fuera detective conduciría un Ferrari Testarrosa.

A medida que nos acercábamos a la casa de los señores Rocafort, Vila se iba poniendo más eufórico. Canturreaba, siguiendo el ritmo de su improvisación, golpeando el volante con los dedos.

—Te gusta mi pañuelo, ¿verdad? —dijo de pronto. Sí que me gustaba. Era rojo, con filigranas blancas y negras, y no demasiado grande, de forma que los extremos quedaban de punta, airosos—. Es mejicano. Allí lo llaman paliacate. —Sin duda, el nombre exótico le añadía valor a aquel trozo de tela. Y continuó el héroe, desprendido—: ¿Lo quieres? ¡Te lo regalo!

Se lo desató con una mano y me lo entregó con gesto grandilocuente y magnánimo. Me lo puse, dejando que el nudo quedara hacia el lado del cuello, de cualquier manera, exactamente como había visto que lo llevaba él.

—¿Cómo dices que se llama el pañuelo?

—Paliacate —dijo.

Me arrellané en el asiento, muy a gusto.

No obstante, en seguida me cuestioné la incontenible alegría de Ángel Vila. ¿A qué podía ser debida? No tuve tiempo de llegar a ninguna conclusión, porque aún no había acabado de formularme la pregunta cuando me señalaron nuestro objetivo.

—Allí viven los Rocafort.

La diferencia que hay entre aquel barrio y el mío es la misma que hay entre la pirámide egipcia de Keops y una cagada de perro en la playa. Y no hace falta decir lo que parecería el bar de mis padres comparado con aquellas casas monumentales, enmuralladas como fortalezas, rodeadas de bosques de árboles milenarios, alfombradas por quilómetros de césped y de flores, coronadas por majestuosas antenas parabólicas. Supongo que se pueden hacer muchos comentarios inteligentes y profundos ante tanto bienestar, pero a mí, con mis limitaciones, solo se me ocurría decir: «¡No hay derecho!».

La casa de los Rocafort se hallaba en una calle tranquila, sin ruido de motos, sin bandas callejeras ni multitud de parados o mujeres chillonas, como estaba acostumbrado a ver en mi barrio. Sencillamente, era una calle vacía, con muros a cada lado. Una verja, grande e historiada, daba paso a un jardín más grande que el patio del instituto, atravesado por un camino de grava que desembocaba ante el edificio antiguo pero bien conservado.

—Bien, Juan —dijo Ángel Vila, provocándome un visible escalofrío—. Ahora te toca actuar a ti.

Nos detuvimos en la siguiente esquina, donde había una cabina telefónica. Bajé del coche y cogí un cesto de mimbre que habíamos comprado de camino y que habíamos cargado con gran cantidad de alimentos y productos de limpieza adquiridos en un cercano súper.

—Vamos, chico —me animó Ángel Vila al ver que me flaqueaba el ánimo.

Glup. Tragué saliva.

—Vamos —me dije también yo.

Me puse el cesto sobre el hombro derecho y caminé hacia la verja abierta de la casa de los Rocafort. Me temblaban las piernas y tenía que repetirme mentalmente que la mía era una causa justa, que estaba defendiendo a los pobres del abuso de los ricos, a los niños del abuso de los adultos. Silbaba para hacerme ilusiones de que dominaba la situación e ignoraba obstinadamente las ganas de orinar que me asaltaron de repente y por sorpresa. Entré en el jardín prohibido, recorrí el camino de grava hasta la puerta principal y pulsé el timbre.

Ya estaba. Ahora sí que no podía echarme atrás.

Una criada uniformada abrió la puerta. Era una mujer mayor, con cara de pocos amigos, con gafas de culo de vaso, y cofia y delantal de criada de película.

—¿Qué quieres? —dijo.

—Supermercado —dije, haciéndome oír por encima de los latidos de mi corazón.

—Pero si no hemos pedido nada...

—A mí me han dicho que traiga esto a los señores Rocafort. ¿No es aquí?

Me hice ilusiones: con un poco de suerte, la criada no se dejaría engañar y me echaría a la calle sin caer en la trampa. O bien era yo mismo quien, de repente, le dejaba allí el encargo y salía corriendo. En una fracción de segundo, me imaginé la cara que pondría la criada. Habría sido cómico. Pero las cosas casi nunca salen como uno desea.

La criada refunfuñó, señalando al otro lado de la casa:

—¡Nunca me dicen nada! ¡A mí nunca me dicen nada! ¡Ve por la puerta de servicio! —Y me cerró la puerta en las narices.

Aún tenía una oportunidad. Era el momento de dar media vuelta y desaparecer, y la criada miope creería que lo había soñado, o que había tenido una experiencia paranormal.

Me dirigí hacia la puerta de servicio, tal como me había indicado. Me la encontré con la puerta de la cocina abierta.

—Déjalo todo aquí —me dijo, señalando una mesa blanca.

La cocina era tan grande que una parte la habían tenido que decorar como si fuera un comedor. Incluso había cuadros, como de museo. Fui descargando las latas, los paquetes y las botellas, atento al segundo paso del plan, que ya no dependía de mí.

La criada cogió una lata y se la acercó a las gafas, como si no pudiera creer lo que veía.

—¿Garbanzos? —exclamó, como si aquello constituyera una ofensa—. ¿Quién ha comprado garbanzos?

—No lo sé —dije yo, sin mirarla, con todos los sentidos alerta. Ahora llegaría el momento de echar a correr.

—¡En esta casa nunca se han comido garbanzos!

«Qué suerte tienen los ricos», pensé (detesto los garbanzos). Pero traté de salvar la situación alegando:

—Tal vez los señores esperen invitados...

La mujer me fulminó con su mirada corregida y aumentada por las gafas. Yo no perdía de vista las dos puertas que había al otro lado de la cocina. Según me había dicho Ángel

Vila, una de ellas daba al comedor y la otra al vestíbulo, de donde arrancaba la escalera que subía al primer piso. El detective también me había dicho que el bebé estaba en uno de los dormitorios del primer piso.

—¿*Callos?* —continuaba exclamando la mujer—. ¿*Lengua?*

Entonces, por fin, sonó el teléfono.

—Vaya. Espera un momento, hijo. —Me molestó que me llamara «hijo». No me gusta que me llame «hijo» la gente a la que estoy a punto de engañar. Salió de la cocina por la puerta del comedor refunfuñando—: ¡A mí nadie me dice nada! ¡A mí nadie me tiene consideración! ¿Hacen pedido al súper? ¡No me lo dicen! ¿Cambian de dieta? ¡No me lo dicen! ¡Pues yo no cocino garbanzos!

La voz se alejó y la puerta batiente continuó moviéndose unos instantes, dentro fuera, dentro fuera.

Aún no se había parado la puerta, cuando ya oí a la criada: «¿Diga? Sí, es la residencia de los señores Rocafort, sí...», y yo que lleno de aire los pulmones, cierro los ojos», me digo: «Ahora o nunca, Flanagan ya no puedes echarte atrás», y me pongo en acción.

Atravesé la cocina en tres zancadas y salí por la puerta que daba al vestíbulo. Allí estaba la anunciada escalera que llevaba al primer piso. La subí con el silencio de un místico levitando y con el empuje de un avión de despegue vertical, dejando abajo la voz de la criada que hablaba con Ángel Vila.

—¿Cómo dice? Le digo que sí, que esta es la casa de los señores Rocafort. ¿Que tienen que traerles un paquete? Ah, que lo han traído y no estaban... Pero si estamos...

En el piso, un pasillo a oscuras. Puertas a cada lado. Abrí la primera. Era un dormitorio de matrimonio. Sobre las mesillas de noche vi las fotos de una pareja. Él con un gran bigote extravagante y ojos atolondrados. Ella apenas si le llegaba un palmo por debajo de los hombros. Recuerdo haber pensado que podrían haberla subido a un taburete, pobre mujer, para hacerle la foto. Los señores Rocafort, supuse (¡secuestradores de niños!). Encantado de saludarlos. Y, yendo a lo que me interesaba, pasé a la habitación de al lado.

Como era de suponer, el bebé no dormía lejos de sus padres. Allí estaba la cuna. Me acerqué de puntillas. Allí estaba el bebé. Panza arriba, con los ojos muy abiertos y una espontánea sonrisa de bienvenida. Parecía saludarme: «¡Hola, chico, te estaba esperando! Ya empezaba a aburrirme de mirarme las manitas. Son unos chismes muy interesantes pero, vaya, vista una, vistas las dos».

Ahora venía la parte más complicada. Nunca había cogido a un bebé en brazos y no sabía cómo hacerlo. Había oído decir que los bebés son una especie de gente muy frágil. ¿Y que pasaría si se echaba a llorar? ¿Dónde tenía el chupete? Lo encontré bajo la almohada, flotando en un charco de babas. También había un sonajero del que me apropié para entretener sus ratos de ocio.

Y finalmente me decidí. Me agaché, lo abracé y lo levanté, envuelto en una manta que desprendía un extraño tufillo, mezcla de colonia, leche agria y meados blancos.

—No llores, ¿eh? No llores —le pedía.

No lloró. Debía de ser uno de esos críos que, con tal de viajar en brazos, son capaces de llorar toda la noche.

—Ahora te llevaré con mamá —le tranquilizaba.

Salí (salimos) de la habitación.

Lo peor de que te embauquen es que siempre lo descubres cuando falta medio segundo para que sea demasiado tarde. Y entonces todo te parece tan claro, tan evidente, te sientes tan estúpido, que querrías morirte aunque solo fuera por volver a nacer y, llegado el caso, actuar de otra manera.

Eso fue lo que me pasó en aquel momento, mientras recorría el pasillo, mientras bajaba por la escalera hacia el vestíbulo con la vista fija en la puerta principal que quedaba ante mí. Escuchando la voz de la criada que seguía enredada en el hilo del teléfono:

—... Pero, veamos, ¿el paquete tenemos que traerlo nosotros o nos lo tienen que traer ustedes?... Sí, sí, ya tomo nota del número, pero ¿para qué sirve este número? ¿Para ir a recogerlo o...?

Una cosa era que Ángel Vila hubiera seguido a los señores Rocafort (¡secuestradores sin escrúpulos!) y otra que supiera con tanta exactitud que los sábados por la mañana solo quedaba una criada en casa; que, después de que se marchara el señor Rocafort con el coche, esta criada siempre se olvidaba de cerrar la verja; que la cocina tenía dos puertas y que estas daban precisamente al vestíbulo y al comedor. ¿Cómo y por qué se había enterado Ángel Vila de tantos detalles?

Era demasiado tarde para hallar una respuesta. La urgencia por salir de allí se había convertido en una agitación enfermiza que me obligaba a moverme frenéticamente contra mi voluntad. Sentía (y perdonad) la caca en el vientre, la orina en la vejiga, el grito en la garganta, el temblor en el cuerpo y temía que todo se me disparaba a la vez. Tenía que correr. Correr, correr, correr, correr. No me pasó por alto la presencia de alguien más en el vestíbulo, bajo la escalera. Y, mientras cogía el pomo de la puerta, no pude evitar mirar atrás, como la mujer de Lot. Y, como la mujer de

Lot, aunque ya podría haberme imaginado lo que vería, me quedé de sal.

El ayudante de Ángel Vila, el gordo desastrado, con su panza y con su mono de mecánico, me dedicaba una espantosa exhibición de maldad.

Tenía en las manos un jarrón de cerámica de aspecto muy frágil y valioso. Y lo estaba soltando. Y el jarrón caía en una porción de tiempo muy, muy larga, y aterrizaba sobre las baldosas del suelo, y se hacía añicos estrepitosamente, provocando un cataclismo comparable al fin del mundo.

—¿Quién anda ahí? —exclama, asustada, la criada miope.

El gordo del mono se escaquea por la puerta, hacia el interior de la casa.

Yo abro la puerta de la salvación.

Y la criada que viene repitiendo: «¿Quién anda ahí?», muy alterada, que se detiene mirándonos, a mí y a mi carga, como si no pudiera dar crédito a lo que ven sus ojos. Y yo que quería decirle: «No se ponga así, señora, el jarrón no lo he roto yo, mire, le devuelvo el bebé y aquí no ha pasado nada». Y brota el grito de la garganta de soprano, un grito que me perfora los tímpanos como un hierro candente: «¡El niñoooo! ¡Se lleva el niñoooo!, ¡el niñoooo!, ¡el niñoooo!»*, así, subrayando *¡el niñoooo!*, con un énfasis que parecía ensayado en una academia.

Y qué queríais que hiciera yo; salgo corriendo al jardín y recorro el sendero de grava hasta la calle, perseguido por la pesada carrera y el grito que parece tener alas: *¡el niñoooo!*, *¡el niñoooo!*

¡La que se había liado!

Tuerzo calle abajo, aprovecho la pendiente para acelerar, intuyendo de reojo presencias inoportunas, alguien que cerraba la puerta de un coche, alguien que venía paseando. Con un público concreto al que dirigirse, los gritos de la mujer se hacen más coherentes:

—¡Acaba de secuestrar al *niñooo*! ¡Deténgalo!

Y yo que redoblo mi carrera, la que he liado, jope, quién me mandaría meterme donde no me llaman. Y a todo esto, entre mis brazos el niño se toma el drama como un juego, le va la marcha, el trote, el galope, y ríe, hace un ruidito con la boca, quiere gritar «eeeh», pero se le entrecorta a cada una de mis zancadas, «eh-eh-eh-eh», y le gusta al crío, mira por dónde, «eh-eh-eh-eh», parece como si me animara a correr más. Qué guapo el crío, aunque pesa lo suyo. Ya lo creo que pesa, me duelen los brazos, ahora solo faltaría que se me cayera al suelo, no quiero ni pensarlo.

No había salvación posible.

Doblé la esquina con la certeza de que, como mínimo, tenía tres perseguidores detrás. «Deténgase», decía uno. «Detenedlo». «Detente». Cada cual en su estilo. La opción de dos calles, una cuesta arriba y la otra cuesta abajo, fue un dilema excesivo para mi limitado cerebro. Me quedé parado, preso del pánico. ¿Arriba? ¿Abajo? ¿Arriba? ¿Abajo?

Ni arriba ni abajo.

En el muro que había a mi derecha se abrió una puerta metálica. La chica más preciosa del mundo me miró con un estallido de alegría, y con gran sentido de la oportunidad me dijo:

—¡Entra! ¡Rápido!

Y yo entré a toda prisa. ¡Vaya si entré! ¿Qué habríais hecho vosotros?

—¡Ven! —me dijo la chica.

Y yo la seguí sin rechistar.

Subimos una escalera, recorrimos un jardín.

—Qué paliacate más bonito llevas —comentó ella, muy amable.

No supe qué contestarle. Nunca sé qué decir en este tipo de situaciones.

Entramos en una casa que parecía un decorado de ciencia ficción, con tabiques de cristal, muebles de metal cromado y metacrilato, rincones transformados en selvas tropicales, sofás en medio del paso y ciclópeos juegos de ajedrez sobre mesas de marfil rosa. Pasados todos estos obstáculos, nos esperaba un ascensor (¡sí, un ascensor dentro de una vivienda particular!). Ascendimos a una habitación de techo semiesférico, cama de sábanas desordenadas, pósteres de caballos, de cantantes y de tenistas por las paredes, dos butacas de piel, un escritorio de madera color miel, plantas de interior, tocata con *compact disc* donde sonaba *Another Day in Paradise,* de Phil Collins, televisor portátil, infinidad de revistas de cómic y de modas esparcidas por el suelo de parqué deslumbrante y resbaladizo. Evidentemente, se trataba del dominio privado de mi salvadora.

Y hablemos de mi salvadora. Chándal Benetton, tejanos Closed, zapatillas Reebok. Una pija, sin duda. Pero qué pija. Pelo castaño, ojos de color tabaco rubio, labios gruesos y glotones, expresión de niña mala. Cuentan las leyendas que las chicas más guapas del mundo se hallan entre las pijas, y aquella no era precisamente la excepción. Aquella era el arquetipo, si me perdonáis la expresión.

—Eh —oí que me decía. Antes ya había pronunciado otras palabras, a las que yo no había podido prestar demasiada atención. Había dicho: «Subamos arriba», le había hecho algunas carantoñas al niño («Hola, guapo, ¿cómo te llamas?»), había intentado tranquilizarme («Tranqui, aquí no te buscarán, mis padres no están en casa y la polaca está en la bodega»), pero yo todavía no había sido capaz de reaccionar, de modo que tuvo que repetir, más fuerte—: ¡Eh!

—¿Eh? —repliqué, parpadeando.

—Eh, que estoy aquí.

—Ah, sí.

Me miraba de un modo que me ponía muy nervioso, como si hubiera descubierto que llevaba la bragueta abierta o que me colgaban los mocos.

—¿Cómo te llamas?

—Ah, Juan —dije. No me atreví a revelarle mi alias. Pese a que no tendría más de catorce años, para mí aquella chica tenía la categoría de un adulto—. Juan.

—Yo me llamo Nines.

—¿Nines?

—Sí, Nines: Ángeles, Angelines, Nines —me explicó mientras salía por un amplio ventanal a una terraza, en la balaustrada de la cual se veían unos prismáticos y un teléfono inalámbrico. Me dijo—: Mira. Deja al crío en la cama y ven a ver. ¡Corre!

Obedecí. Con ella no se podía hacer otra cosa. Salí a la terraza y me dio los prismáticos.

La casa daba directamente sobre la de los señores Rocafort. Como era más alta y estaba edificada a desnivel con respecto a la otra, la buhardilla en la que nos hallábamos era una perfecta atalaya desde donde espiar la calle y la casa de los vecinos.

En la calle, la criada y los dos hombres bailaban la danza del desconcierto. Después de comprobar que yo no había huido por la calle descendente, solo podían deducir que, o bien había huido por la ascendente, o bien me había subido a un coche que me estaba esperando y había arrancado a toda prisa. En cualquier caso, la persecución resultaba inútil, y esto se traducía en gestos de desesperación e impotencia, pasos adelante y atrás, vueltas sin sentido, gritos, sollozos, «¡*el niñoooo!, ¡el niñoooo!*».

—No, no —me corrigió la chica—. Mira allí, a la casa de los vecinos.

La casa de los vecinos. Con el adecuado aire furtivo, Ángel Vila y su grasiento amigo salían por la puerta principal, cargados con los sacos atiborrados del botín que yo les había ayudado a conseguir.

—¡Ladrones! —exclamé.

—¡Una banda de ladrones y un secuestrador de niños! —exclamó ella con desmedido entusiasmo—. ¡La cara que pondrá Ricardoalfonso cuando se lo cuente!

—¿Ricardoalfonso?

Si ella se llamaba Nines y tenía un amigo que se llamaba Ricardoalfonso, yo no tenía que tener ningún escrúpulo en confesar que me llamaba Flanagan.

6

El embrollo se embrolla

lanagan —dijo ella—. ¡Flanagan es nombre de detective privado!

No hacía demasiado que yo mismo había dicho que todos los detectives se llamaban Flanagan. Como comprenderéis, aquella formidable coincidencia me indujo a pensar que aquella chica maravillosa y yo éramos dos almas gemelas, destinadas a compartir el futuro, y por esta razón me salté el secreto profesional sin ningún remordimiento y le conté todas las circunstancias que me habían llevado a entrar en una casa de Pedralbes para robar un bebé. Inevitablemente, tuve que hablarle de otras proezas, como el día en que hui de dos *heavies* armados con cadenas trepando por las cañerías de un patio de luces, o el día en que impedí que los delincuentes disfrazados de médicos asesinaran a un chico que se hallaba en la UVI del hospital. Nines me escuchaba subyugada. No está bien que yo lo diga, pero estaba convirtiéndome en su héroe. Me interrumpía con vehementes exclamaciones. («¿De veras? ¿Y te lo montas tú solo? ¡Fantástico! ¡Fabuloso!») Y, para qué engañaros, lo cierto es que a mí *me gustaba* subyugarla, y puede que incluso exagerara un poco mis aventuras. Concretamente, estaba a punto de explicarle: «Cómo acabé con la Cúpula de la Mafia Americana», cuando el teléfono nos devolvió a la realidad.

Nines cogió el aparato de diseño, accionó el interruptor adecuado y se puso a hablar:

—¡Diga! ¿Ricardoalfonso? ¡Hola! —Me miraba intensamente—. ¡No puedes imaginarte lo que me ha pasado! ¡Tengo en casa a un detective privado! —Yo le hice una señal de que no hablara demasiado. Ella me guiñó un ojo—: Está buenísimo. Una combinación de Tom Cruise y Mickey Rourke, pero en plan aventurero, como Indiana Jones, ¿te lo imaginas? —El otro protestaba, posiblemente congestionado por los celos, y Nines se aguantaba la risa y me hacía gestos de complicidad, dándome a entender que Ricardoalfonso era un cretino integral y un plomo de mucho cuidado.

Violento, disimulé mi rubor mirando por la ventana. Como si estuvieran esperando a que me asomara, aparecieron dos coches de policía, sobresaltándome con el aullido de sus sirenas y el parpadeo frenético de sus luces azules.

No quise ver más. Me colé hacia dentro, donde Nines seguía hablando por teléfono con absoluta despreocupación, y miré mi reloj. ¡Qué tarde era! ¡Tenía que avisar a mis padres que no me esperaran para comer!

—¡Oh, qué bien! ¡Ahora llega la policía! —decía Nines al teléfono, sin ninguna prisa, disponiendo de todo el tiempo del mundo.

Me fui a distraer al niño mientras ella despedía sin contemplaciones al pelmazo.

—¿Quién es esa Carmen? —preguntó de repente Nines detrás de mí, pillándome con la guardia baja.

—Ya te lo he dicho —dije nervioso—. Una clienta... Escucha: perdona, pero tengo que llamar a casa diciendo que llegaré tarde...

—Llama —me dijo.

Me hacía ilusión utilizar el teléfono de diseño. Le dediqué a Nines una sonrisa que estrechó el nivel de intimidad entre los dos. Aquella chica se me estaba subiendo a la cabeza.

—No es demasiado digno, ¿verdad? Un detective privado llamando a papá —parodié, con voz remilgada y ridícula—: Papá, oye, que no podré ir a comer... —Contaba con que contestaría mi hermana, pero no: se puso mi padre—. Papá, oye, que no podré ir a comer...

—¿Dónde estás?

—Por ahí...

—*¿Por ahí? ¿Dónde queda exactamente por ahí?*

—En *El Corte Inglés* —improvisé—. Estoy mirando regalos para Navidad...

—¿Y a qué hora volverás?

—No lo sé.

—Pues tienes que saberlo.

—A las siete.

—De acuerdo. A las siete aquí, como un clavo.

—Siete, siete y media, ocho —corregí, por si las moscas.

—¿En qué quedamos?

—¡Digamos las ocho y media!

—¡Como no estés en casa a las nueve, ya verás el regalo que te hago yo!

—Sí, papá. —Colgué, sintiéndome profundamente humillado—. No me extraña que los detectives de las novelas sean siempre huérfanos. ¡Porque es que los padres...! —Y añadí una palabrota de las fuertes para restaurar mi dignidad ante la chica.

Y, entonces, los ojos de Nines se enturbiaron un poco, y le oí decir algo que parecía escapársele sin querer:

—Yo no tengo.

Lo dijo con una tristeza tan profunda como si en aquel preciso momento acabara de enterarse de que se le habían muerto los viejos.

—¿Que no tienes padres? ¡Si antes me has dicho que no estaban en casa...!

—Si los padres no están nunca en casa, es como si no los tuvieras, ¿no?

—¿Se han ido? ¿De viaje?

Asintió con la cabeza.

—A esquiar.

—Es curioso. ¿No celebráis la Navidad juntos?

—No.

—En casa tampoco celebramos mucho la Navidad —me apresuré a decir, solidarizándome con ella—. Mis padres tienen un bar, sabes, y en estos días hay demasiado trabajo...

Durante este breve y profundo diálogo, entreví por un segundo una aterradora posibilidad que nunca se me había ocurrido contemplar. ¿Qué pasaría si mis padres no estuvieran? Porque ya he dicho que mis padres tenían más vocación de camareros que de padres, y estaban siempre atareados, más preocupados por los vasos rotos que por mis calificaciones escolares, pero, como mínimo, *estaban*. ¿Qué pasaría si no estuvieran?

La solución, la próxima semana. El bebé nos salvó de la melancolía empezando a hacer pucheros. La perspectiva de un llanto desatado nos movilizó, tanto a mí como a Nines. Los dos éramos conscientes de que la casa de enfrente estaba llena de policías que posiblemente buscaban al bebé.

—Ooo-ooo-oooh, ¿qué le pasa a Jose?

—Eh, guapo, ricura, mira, mira, lo que hace el tío Juan...

«El famoso detective Johnny Flanagan fue sorprendido haciendo cucamonas a un bebé y moviendo ante sus naricitas un sonajero de color azul celeste». (Quien supiera esto podría hacerme chantaje el día de mañana. Imaginad los titulares de los periódicos, imaginad el final de una brillante carrera).

—Tiene hambre. Lo que pasa es que tiene hambre.

También yo tenía hambre. ¿Qué hora era?

—¿Y qué hacemos?

—La polaca nos lo resolverá. Tú déjame a mí.

—¿Quién es la polaca?

—La criada.

—Yo creía que las criadas eran todas filipinas.

—Bah, eso era antes. Las filipinas ya no se llevan. Después de las filipinas se llevaron las negras y, ahora, las polacas.

—Ah.

La polaca nos lo solucionó. Subió en el ascensor tan pronto como Nines la llamó, miró al niño como si hubiera estado allí toda la vida, movió la cabeza en señal de asentimiento y desapareció de nuestra vista.

—¿Y no has pensado que pueda decir algo a la policía?

—Ahora estamos más seguros que antes —me dijo Nines.

La polaca regresó con un biberón a la temperatura adecuada y nuestro pequeño amigo se alimentó con glotonería y, después de eructar, se quedó dormido como un angelito.

La polaca también nos trajo platos con alimentos para nosotros. Comida fría, pero exquisita. Foie-gras, jamón que ríete del que tenemos en el bar, salchichón, quesos, salmón ahumado, pavo ahumado...

—¿Quieres vino?

—No, no.

Pero estuve a punto de decir que sí.

—¿Así que esa Carmen no es tu ligue? —dijo Nines de repente, como por decir algo.

—¿Mi ligue? No, no, qué dices..., quiero decir que no...

Me llené la boca de pavo ahumado, sintiéndome como Judas regateando por unas monedas de plata, y se me heló la sangre al ver la risita enigmática que brilló en los ojos de Nines. Tal vez debiera haberle pedido alguna explicación, pero la chica era muy voluble en lo que respecta a temas de conversación. Aún no había tenido yo tiempo de abrir la boca, cuando ella ya había pasado a hacer un resumen de los capítulos anteriores.

—De manera —dijo, reflexiva— que los Rocafort habían robado al crío. ¡Ja! Eso lo explica todo.

—¿Qué es lo que explica?

—Que a la diminuta señora Rocafort no se la haya visto nunca con barriga, por ejemplo. O que nunca saquen al niño de casa para pasearlo, para que le dé el sol, o para presumir ante las vecinas, como hacen todos los padres del mundo. Siempre tienen al niño encerrado, pobrecito. Yo sabía que existía, porque a veces le he oído llorar y porque lo había visto alguna vez con los prismáticos, pero, si no, de cara a todo el mundo, es como si no existiera. Estoy segura de que no le han dicho nada de un secuestro a la poli. Solo les habrán hablado del robo de las joyas, o de lo que se hayan llevado los otros.

La policía se marchó a las cuatro y media. De inmediato, Nines pidió un taxi por teléfono, dándole instrucciones para que entrara en el jardín de la casa, donde le estaríamos esperando.

—Bien —dije yo—. Ahora ya solo me falta devolvérselo a su madre y archivar el caso. Otro caso complicado que no me dará ni un duro. Tal vez aquí, con los señores Rocafort, el niño tendría más oportunidades, pero...

—Eso no importa —me atajó con vehemencia Nines—. El niño debe estar con su madre... —Se la veía deslumbrada por mi papel de Flanagan Hood, que robaba niños a los ricos para dárselos a los pobres. Pero se le ensombreció de nuevo el rostro al añadir—: Seguramente allí estará mejor que aquí.

Y me pareció que en aquel comentario se ocultaban los mismos sentimientos turbulentos que antes habían revoloteado sobre nuestras cabezas. Una extraña melancolía que pretendía demostrar, sin palabras, que el dinero no da la felicidad, confirmación de la conocida leyenda de la *pobre niña rica.*

Siguió un silencio pavoroso, insoportable.

Nines abrió un armario y sacó una gran bolsa de plástico decorada con un anagrama de lo que resultó ser una tienda de modas de París. La llenó de ropa, chaquetas, camisas, pantalones, disponiéndolo de tal forma que formaran una cuna donde, con mucho cuidado, depositó al niño dormido.

—La bolsa resistirá —me dijo—. Seguro. Y así nadie verá al niño y nadie nos hará preguntas.

¿*Nos?*

—Preferiría... —dije acoquinado—. Preferiría que no me acompañaras...

—¿Ah, no? —exclamó, decepcionada—. ¿Por qué?

«Porque no quiero que veas mi barrio —tendría que haberle contestado—. Porque no quiero ver cómo frunces el ceño al ver dónde vivo. O, mucho peor, porque quiero ahorrarte el mal trago de tener que decir que no está mal, que a ti también te gustaría vivir allí. No me gusta sentirme un animal de zoológico». Pero no le dije nada de esto, claro.

—Porque iré directamente a llevarle el niño a su madre, y no creo que a ella le guste la presencia de...

—Lo comprendo —aceptó sin comprenderlo demasiado.

—O sea, que no puedo llevarme estas ropas...

—¡Pues claro que sí! ¡Ya me las devolverás!

—Pero...

—También tendrás que devolverme el dinero que te prestaré para el taxi. Porque no llevas dinero, ¿verdad?

¿Había dicho yo que no llevaba pasta? ¿Lo había deducido ella solo con ver mi aspecto? Quería marcharme cuanto antes mejor. Un rato más en aquel ambiente y acabaría avergonzándome de mí mismo. La verdad es que, con el dinero que llevaba, no podría pagarme un trayecto en taxi superior a los diez metros. Me dio un billete que sacó de su cartera.

—Me lo devuelves esta noche, a las ocho. ¿Conoces el Tranvía?

Solo lo conocía de oídas.

—Es un bar de pij... —Estuve a punto de meter la pata—. Quiero decir... —¿Por qué siempre tenía que acabar metiendo la pata? Intenté arreglarlo—: ¡De pi..., de pi..., de pirados! —Encima de meter la pata, estaba visto que tenía que hundirla en el fango hasta la ingle—. Quiero decir, quería decir, quiero decir...

—¿Pi... rómanos? —me sugirió ella, tomándome el pelo—. ¿Pi... ragüistas? ¿O de pi... jos? —le restó importancia—. ¿A las ocho?

—Vale. Y te devolveré la pasta y la ropa.

Nines me miró a los ojos. Volvía a ser la niña mala que sabe lo que quiere y domina la situación.

—¿Solo vendrás por eso? ¿No tienes ganas de volver a verme?

Me salvó la campana. Sonó el timbre y un taxista me anunció su llegada.

Nines tenía dos personalidades bien diferenciadas y tan pronto se revestía con una como con la otra. Ahora era la propietaria de aquella casa inmensa y de todo lo que se pudiera comprar con dinero y seducción, y en el segundo siguiente se convertía en la *pobre niña rica* que, cuando yo me fuera, se quedaría espantosamente sola.

Mientras bajábamos en el ascensor, se dejó vencer por la segunda posibilidad.

—Flanagan... Se podría dar el caso de que me hayas mentido. Que no quieras volver a verme. Que seas un delincuente, un secuestrador que no ha sabido cómo librarse de mí hasta ahora, o que me has utilizado para escapar de la poli. En todo caso, si no nos volvemos a ver, quiero que sepas que hace muchos años que no pasaba una tarde tan mágica como esta.

Y yo no sabía dónde mirar, y ella me dio un beso y se me hizo un nudo en la garganta.

«¡Eh! —me dije—. ¡Frena, tío, frena! ¡No puedes ir enamorándote de todas las chicas que te dan un beso!».

«¿Por qué no?», me pregunté.

El taxi me dejó en la Avenida, una zona en obras que linda con las tapias del cementerio, muy cerca de las Barracas, donde vivía Feli. En la esquina del cementerio con la calle Mayor del Pueblo Viejo, hay una cabina, y desde ella llamé a Carmen.

El beso de Nines aún me hacía cosquillas en los labios cuando sentí en la oreja la alegría flamenca de la morenita. Creo que fue la primera vez en mi vida que disfruté secretamente de la perversa euforia del crápula.

—¿Sabes algo de Jose? —me preguntó, ansiosa.

Jose era feliz, en el fondo de una gran bolsa de plástico, en una cuna de ropas carísimas compradas en París, con el sonajero en las manos y la cara muy roja, haciendo esfuerzos que llenaban la cabina telefónica de un hedor penetrante y difícil de tolerar. Es duro ser padre.

—Te tengo reservada una sorpresa.

—¿Qué dices? ¿Lo has encontrado? ¿Lo has encontrado?

—Estoy cerca de las Barracas. ¿Dónde vive exactamente tu hermana?

—Si entras en las Barracas por el final de las obras, por la Avenida, encontrarás una calle cuesta arriba. Cuando termina la cuesta, a la derecha verás una casa con la puerta verde y blanca. Es la única. Yo también voy para allá, salgo ahora mismo. Vivo muy cerca. Nos encontraremos allí, ¿vale?

—Vale.

Saqué al niño de la bolsa, me lo cargué al cuello y caminé hacia el final de la zona de obras.

Bajar directamente de las alturas de Pedralbes a las profundidades de las Barracas es una lección de sociología que le recomendaría a más de un político. El contraste es tan violento que hace daño a los ojos. Mi retina se violentó al tener que sustituir las imágenes de bienestar y de lujo por aquellas otras, miserables y deprimentes. Todo había empezado cuando, a resultas de unas graves inundaciones, hace muchos años, el Ayuntamiento erigió en la zona unas naves «provisionales» de chapa metálica y madera, hornos crematorios en verano y frigoríficos polares en invierno, donde alojar a las familias pobres damnificadas. Poco a poco, otros inmigrantes o los parientes de los que ya estaban allí, empezaron a construir casitas alrededor y en medio de aquellas naves, que con el tiempo se fueron abollando y desmoronando, y ahora eran como contenedores de basura muertos y olvidados.

Aquel que no esté a gusto en el barrio (en el mío o en cualquier otro barrio de la ciudad), aquel que piense que vive en el culo de la ciudad, solo tiene que venir a echar una ojeada a este sitio para saber de verdad qué significa vivir mal. Hileras de barracas en un equilibrio milagroso de ladrillos, madera, cartón y uralita, calles desiguales y llenas de piedras, embarradas o polvorientas, niños semidesnudos persiguiendo a pedradas ratas grandes como gatos, y un olor nauseabundo, mucho peor que el que exhalaba mi pequeño amigo Jose, y al que, no obstante, los que vivían allí parecían estar perfectamente adaptados.

Avancé rápidamente por aquel decorado de miseria. A pesar de que era invierno, muchos de sus habitantes estaban en la calle, y me miraban con curiosidad y con un cierto tono de advertencia, como se mira a los forasteros en las películas del Oeste. Particularmente, debido a la insistencia con que él me miraba, me fijé en un tío de mediana edad, alto, delgado y encorvado, con unos ojos pequeños en los que brillaba una chispa de euforia alcohólica y una cicatriz en la mejilla. La atención que me dedicaba me hizo acelerar el paso.

La mayoría de las barracas tenía una simple cortina de trapos en la entrada. En estas condiciones, la puerta pintada de verde era casi un signo de distinción social. Me detuve ante ella, me atusé el pelo y, antes de llamar, compuse el gesto modesto de quien no ha hecho más que cumplir con su deber... «Oh, por favor, si no ha sido nada...». Y Carmen abrumándome con su admiración. «Pero, Flanagan, ¿cómo te lo montas para ser *siempre tan maravilloso*?».

—¡Pero por qué os teníais que meter donde no os llamaban! —protestaba una voz quejosa al otro lado de la puerta.

—¿Pero qué te pasa, Feli? —oí a Carmen. En aquellas barracas no cabían los secretos—. ¿Es que no quieres recuperar a Jose? ¡Si me dijiste que darías cualquier cosa por tenerle a tu lado!

—¡Y a ti qué te importa lo que diga yo!

Tosí discretamente y llamé a la puerta verde.

Carmen abrió, miró al bebé que llevaba en brazos, puso cara de sorpresa, la boca y los ojos abiertos de par en par, y chilló. En principio, todo ocurría tal y como yo había previsto.

—¡Pero, Flanagan...!

—Bueno, tengo que confesarte que ha sido un golpe de suerte... —dije, cargado de modestia—. Casi se puede decir que tuve que llevármelo por la fuerza, pero la cuestión era recuperarlo como fuera...

Mientras decía esto, entré en la barraca. Una sola habitación que cumplía las funciones de comedor, cocina, lavabo y dormitorio. Allí dentro hacía más frío que en la calle, a pesar (o precisamente a causa de) la estufa catalítica de enésima mano. Una imagen de la Virgen del Rocío presidía la estancia.

Puse el niño en manos de la mujer joven pero decrépita que estaba sentada en una silla.

—Usted es Feli, ¿verdad? Aquí tiene a su hijo. Un poco cagadito, pero eso se lava.

La mujer me miró como temiendo que yo fuera el estrangulador de Boston, y miró al niño como si fuera un libro de trigonometría. Yo sentí que me envolvía una nube muy negra y muy helada, cargada de electricidad. Y, del fondo del corazón, me llegó una vocecita muy débil que decía: «Ay, ay, ay, ay...».

—¡Pero, Flanagan... —exclamó finalmente Carmen—, si este niño no es Jose!

—¿Qué? —solté yo.

—¡Que no es Jose! ¿De dónde lo has sacado?

—¡Claro que es Jose! —me resistí—. ¡Tiene que serlo! ¿Cómo sabes que no lo es? ¡Todos los bebés son iguales! ¡Y, además, cambian mucho de un día para otro...!

—¡Que no es Jose!

—¡Dígalo usted, señora! ¿Es o no es su hijo?

—¡No lo es! —dijo aquella insensata.

—¿Pero qué dice? ¡Es la emoción, que la ha afectado! ¡Esta mujer tiene un *shock*! ¿Es que no se acuerda de que unos señores le robaron el niño en el metro? ¡Se lo quitaron de las manos y se lo llevaron...! ¡Un señor con bigote...!

—¡A mí nadie me ha quitado a mi hijo en el metro! —aseguró Feli, llorosa, muy segura de lo que decía.

Claro. Si aquel maldito Ángel Vila me había mentido en todo lo demás, ¿por qué tenía que haberme dicho la verdad precisamente en este aspecto? Tal vez se había robado un niño en el metro, como me había dado a entender la vieja aquella, pero ese niño no tenía por qué ser forzosamente Jose. Y Nines podía sospechar que el hijo de los Rocafort no era hijo natural, pero eso tampoco tenía por qué ser forzosamente más que una sospecha.

Lo cierto, lo indudable, era que Ángel Vila debía de llevar tiempo vigilando la casa de los Rocafort para robarla y, cuando me oyó hablar en el metro, se inventó toda la peripecia. Feli y Carmen seguían negando con la cabeza y con los ojos. Pero ¿es que no se daban cuenta del lío en que me metían si el bebé no era Jose? ¿No veían que aquello era lo peor que me podía pasar?

—¡Tú me dijiste que te lo habían quitado en el metro! —se quejó Carmen.

—¡A ver qué pasa aquí! —retumbó un vozarrón a mis espaldas.

Rectifiqué en seguida. Aún podían pasarme cosas peores. El tío encorvado, alto y delgado, de la cicatriz, acababa de entrar en la barraca, y solo con ver cómo le miraban Feli y Carmen, supe que se trataba de Manolo. Manolo Molinero, alias «El Latas». El cuñado gandul, borracho y sádico.

Pero, en vez de ejercer como tal, en vez de ponerse a repartir bofetadas a diestro y siniestro, el hombre se inclinó sobre el niño que sostenía Feli y le dedicó una sonrisa que muy fácilmente podía provocarle un *shock* traumático a la criatura.

—¡*Jose!* —gritó—. ¡Mira a quién tenemos aquí, a Jose, mi cielito, pequeño y bonito, que nos lo habían robado en el metro! ¡Ven aquí con papá...!

Aunque estaba deseando que alguien dijera algo parecido, cuando se lo oí decir al energúmeno supe en seguida que mentía.

Y entonces tuve aún más miedo.

7

Tres Torres

C armen y yo lo comprendimos todo un poco más tarde, escondidos entre las barracas, cerca de una fuente adonde las mujeres iban a por agua con botijos. Una vez recuperados del estallido de violencia que nos proyectó fuera de la vivienda, no resultó demasiado difícil llegar a una conclusión a base de ir sumando deducciones.

Manolo ya se había precipitado sobre el niño y lo había cogido con aquellas manos inmensas y sucias, y la criatura, que hasta aquel momento se había mostrado imperturbable, se había echado a llorar a moco tendido. Y, por si fuera poco, a mí se me ocurre la grotesca idea de imponer mi autoridad:

—Bien, ¿en qué quedamos...? —empecé a decir.

—¡*Que en qué quedamos...*!

—Sí, que, glup, que en qué quedamos, o sea...

—¡*Que en qué quedamos...*!

—Quiero decir, o sea... Como usted dice que...

Manolo me fusilaba con una mirada explosiva. Encolerizado por el llanto del crío, por mi insolencia y por su propio talante directamente relacionado con lo que se había metido entre pecho y espalda, sumó sus gritos a la confusión y, pegando patadas a una silla y al aire, nos expulsó de la barraca a su cuñada y a mí.

—¿¿*En qué quedamos?*? ¿¿Vienes a mi casa a preguntarme *en qué quedamos, desgraciao*?? —Lo completaba todo con tacos que dejo a vuestra imaginación—. ¡*Largo* de mi casa! ¡*Largo*! ¡¡*Largo*!!

Cada vez que decía *largo* era como si me aporreara el mismo centro neurálgico del cerebro.

Y fue así como Carmen y yo nos encontramos fuera de la choza, parapetados tras un montón de piedras y basura.

—¿Es Jose o no es Jose? —pregunté.

—No es Jose, Flanagan —contestó ella, muy preocupada—. No se le parece en nada. No entiendo por qué Manolo...

Carmen se encogió de hombros. Poco a poco, permitió que se le iluminara el rostro, con una expresión que quería decir: «A pesar de todo, me alegro de estar aquí contigo: las cosas tienen su lado positivo». Me pareció una salida de tono muy femenina, pero no puedo decir que me disgustara.

—¡Qué pañuelo más chuli llevas! —exclamó.

—Es un paliacate —presumí.

—Pues parece un pañuelo.

Me seguía mirando con tanta insistencia y entusiasmo, que no me quedó otro remedio que ruborizarme, apartar la mirada y volver a nuestro embrollo.

—A tu hermana no le quitaron el niño en el metro.

—No —dijo ella, pensativa.

—En ese caso, ¿qué pasó? ¿Lo regaló?

—No. ¿Qué sentido tendría que llorara su pérdida, si lo hubiera regalado?

82

—Lo vendió. —Yo trataba de agotar todas las posibilidades.

Entonces lo comprendimos todo.

—No —dijo Carmen—. No lo vendió. Lo hizo Manolo. Manolo vendió a Jose. Por eso Feli le lloraba tanto. Y no se atrevía a contármelo porque Manolo le da muchísimo miedo...

—Y ahora Manolo...

—Debe de estar pensando en vender también este bebé.

Nos fijamos en la puerta verde de la barraca. El niño había dejado de llorar y, al notarlo, sentí un escalofrío. No me negaréis que no había para menos. ¡Un padre que vende a su hijo!

—¿Qué le estará haciendo?

Yo había oído hablar de niños a los que les dan vino, o los atiborran de calmantes, para que se duerman y no molesten. Esos niños terribles que llevan en brazos algunas mendigas y que siempre, siempre, duermen. Quietos. Inertes. Como muertos. Volví a sentir escalofríos. ¿Qué le estaba haciendo Manolo a *mi* niño? (Era como si fuera mío: yo lo había llevado mucho rato en brazos, le había dado el biberón, le había hecho cosquillas...). Se me complicaban los sentimientos y los pensamientos. Añadía la retahíla: «Lo has secuestrado, lo has sacado de una casa lujosa y confortable y lo has puesto en manos de un desaprensivo que vete a saber qué le estará haciendo».

Me sentía muy desgraciado.

—¿De dónde lo has sacado? —me preguntó Carmen por sorpresa.

Estaba tan deprimido que se lo expliqué todo sin adornarlo con ninguna filigrana. Sencillamente, me habían tomado el pelo como a un imbécil profundo. Unos ladrones vigilaban una casa con el propósito de robarla, sabían que sus propietarios habían adoptado un niño hacía poco y necesitaban una cabeza de turco para distraer la atención de la criada. Y entonces llega Flanagan diciendo que busca a un niño robado. Los ladrones suman dos y dos y engatusan al imbécil de Flanagan.

—... Aún deben de estar riéndose —acabé.

Pero el relato de mis desventuras no parecía influir negativamente en Carmen. Aún no había dejado de contemplarme con admiración.

—¿Y cómo pudiste escapar? —quiso saber.

—Pues... *¡Fzzzummmm!* Por piernas, a toda velocidad, me escapé calle abajo.

Mira por dónde, acababa de eliminar absolutamente a Nines de mi relato. Y, no sé por qué, se me antojaba una de las mentiras más miserables de mi vida. Sobre todo cuando, al acabar la historia, Carmen me abrazó y me dio un beso instantáneo en la boca (¡instantáneo, pero en la boca!) y me dijo:

—¡Ay, qué *salao* es mi detective! ¡Con este pañuelo rojo que lleva, que parece que estamos en los sanfermines!

Manolo salió de la barraca con un bulto en brazos, envuelto en una manta a cuadros.

—¿Qué hacemos? —dijo Carmen. «Hacemos». Ella y yo.

—Yo seguiré a Manolo —decidí—. Tengo que recuperar a ese crío como sea. Tú ve a hablar con tu hermana. A ver qué le puedes sacar.

Nos separamos precipitadamente, olvidándonos de darnos un último beso. Cuando uno ha empezado a darse besos en la boca con una chica (aunque sean instantáneos), debe mantener la costumbre con perseverancia, ¿no os parece? Si no, se corre el peligro de encontrarse con que, al día siguiente, ya no se puede reincidir. Hacer que una costumbre eche raíces es una cuestión de insistencia.

Iba pensando en todo esto mientras seguía los pasos de Manolo, pasando junto a las casas oscuras y ruinosas del Pueblo Viejo, pasando por delante del instituto, en dirección al centro, a la plaza del Mercado, donde mi objetivo y su carga se sumergieron en las profundidades del metro.

Y, sin perderle de vista, descubría en mi reloj que solo disponía de una hora y media para llegar puntual a la cita con Nines, en el bar Tranvía. Tenía que ir, claro, me decía sintiendo aún en los labios el tacto del beso instantáneo. Tenía que ir a ver a Nines para devolverle el dinero del taxi (que no tenía, porque no había pasado por casa). Ah, y la bolsa que había servido de cuna para el niño...

¡La bolsa! ¿Dónde estaba la bolsa de ropa carísima? ¿Dónde demonios me la había dejado?

Complicaciones y más complicaciones.

El metro llegó a la estación al mismo tiempo que yo. Eso me permitió meterme en el primer vagón sin ser descubierto por Manolo mientras esperábamos.

—¡Señoras y señores! —gritó el cuñado de Carmen tan pronto como el tren se puso en movimiento. Me sobresaltó porque, al principio, creí que el alarido iba dirigido a mí—. ¡Soy un pobre padre de familia que se halla en el paro...!

Siguió recitando el cuento de la lagrimita y se abrió paso entre la gente, recogiendo monedas con su mano libre. Yo le observaba desde mi rincón, perdido entre cuerpos más grandes que el mío, y cada vez le aborrecía más. Me daba la impresión de que, con su comedia, aquel sinvergüenza estaba privando de limosnas a gente que las necesitaba más que él. Imaginaba que, después de él, llegaría un hombre honrado y la gente del vagón le diría: «Vuelva otro día, que hoy ya hemos dado».

Pasó a otro vagón, y en la siguiente estación a otro, y a otro, y a otro. Y, cuando se le acabó el tren, volvió atrás e interpretó de nuevo toda la comedia. Hasta que llegamos a la plaza de Cataluña, donde se apeó.

Recorrimos los pasillos subterráneos, él y el niño abriendo paso, yo siguiéndole a una cauta distancia, y por un momento creí que se dirigía a la plaza subterránea, aquel lugar donde se reunía la Corte de los Milagros, y se me ocurrió que volvería a encontrarme con Ángel Vila, Ladrón de Ladrones. Incluso se me ocurrió que Manolo tal vez iba a encontrarse con él. Habría sido una buena sorpresa, ¿no? Bueno, pues no ocurrió nada de eso. Pasó de largo de la placita (donde en aquellos momentos atronaba la música de un frenético conjunto de rock) y se internó en los pasillos que llevan a los Ferrocarriles de la Generalitat. Le vi comprar un billete en la taquilla y desaparecer escaleras abajo. De modo que yo también compré un billete (el más caro, porque no sabía en qué estación pensaba apearse) y me fui tras él.

Manolo escogió un tren que de nuevo me llevaría al otro extremo de la ciudad. Otra vez. Aquel estaba siendo un día muy instructivo: de la miseria a la riqueza, de las viviendas de tres pisos con ascensor privado a las barracas más ínfimas, de los vertederos a los jardines más exuberantes. Nadie que haga este periplo en un día podrá evitar pensar que las cosas no pueden funcionar así, que aquí falla algo, que hay que remediarlo cuanto antes mejor. No me refiero a que los ricos tengan que volverse pobres, pero tampoco quiero entender que los pobres tengan que seguir siendo pobres para siempre. Es preciso hallar alguna solución. Esta tendría que ser la primera preocupación de los políticos antes de ponerse a comprar aviones o a gastarse la pasta haciéndose homenajes mutuamente. Ignoro cuál debe ser la solución, pero me temo que es una cuestión de imaginación. Y si algo les falta a nuestros políticos es imaginación. ¿Qué significa esto? ¿Que estamos perdidos?

Mientras me perdía en este tipo de filosofías, Manolo había llegado a su punto de destino: la estación de Tres Torres, al final de la Vía Augusta. Sale cargado con el hatillo dormido (¿qué le había hecho al pobre crío?) y echa a andar por una calle en pendiente.

Ya había oscurecido.

Los edificios eran altos, y blancos, y limpios, y modernos, y la vegetación asomaba por los balcones como si en el interior de cada piso hubiera auténticas junglas. Todos con su garaje privado, todos con un muro de metro y medio y un foso alrededor, como aquellos sistemas de defensa que, en la clase de historia, nos contaron que edificaban los romanos.

Y, en medio de tanta modernidad, una casa que ya estaba allí, solitaria, muchos años antes de que pusieran la primera piedra de los nuevos edificios. Probablemente había sido una casa de veraneo para aristócratas, construida a finales del siglo pasado. Tapia alta, puerta con la gran verja abierta, paredes oscurecidas por demasiadas lluvias y demasiada contaminación, algunos desconchones aquí allá.

Y una placa dorada abrillantada a diario por alguna criada obsesiva: «CLÍNICA GINECOLÓGICA. DOCTOR ARTURO VILLENA».

Manolo entró decidido por el gran portal, se dirigió a la puerta principal y llamó.

Yo observaba desde la acera de enfrente, escondido entre los coches aparcados.

Una mujer voluminosa, ataviada con una bata blanca, abrió la puerta. Supuse que sería una enfermera. Se trataba de un pedazo de mujer de carnes abundantes que le tiraban de la ropa de la bata por todas partes. Lucía un escote impúdico que imaginé dilataría los ojos de Manolo hasta límites cómicos. Me imaginé que a Manolo se le caían los ojos dentro de aquel escote. Me imaginé los piropos que gritarían los albañiles de mi barrio ante una exhibición de aquel calibre. Era, pues, uno de esos escotes que estimulan la imaginación.

Me dio la impresión de que se llevaba un buen susto al ver a Manolo, pero, después de cuatro palabras y de mirar cautelosamente a derecha e izquierda, le dejó pasar.

Y se cerró la puerta, y la calle quedó sumida en un silencio impropio de la gran ciudad.

Ahora solo podía esperar. Eran las siete y cuarto. Si me retenían allí más de quince minutos, sería Nines la que tendría que esperar sentada en el Tranvía.

Tal vez fueron las prisas por llegar a tiempo a mi cita galante lo que me movilizó. Bien mirado, yo ya no podía hacer más de lo que había hecho. Ahora sabía dónde estaba el niño y, si iba a reclamarlo, nadie me haría caso. Ahora eran los padres quienes debían actuar.

Un poco más arriba, localicé un bar. Tenía puertas acristaladas que daban a la calle y creí que podría llamar sin perder de vista la puerta de la clínica. De modo que me fui hacia allí mirando continuamente por encima del hombro.

Entré en el local y me dirigí al camarero, sintiendo que la urgencia y la impaciencia empezaban a zarandearme por dentro.

—¿Hay teléfono?

—¿Qué?

—¡Que si hay teléfono!

—Ah, sí. Allí.

Señaló al otro extremo del bar. Vi una pequeña cabina de cristal y, dentro, un teléfono verde de monedas.

—¿Y listín? ¿Tiene listín?

—¿Qué?

—Listín. Anuario telefónico. Ese libro grande y aburrido donde constan los números de teléfono de todo el mundo.

—Ah, sí. Está en la estantería de la cabina.

Atravesé el bar reprimiendo el impulso de echar a correr. Era un bar de música clásica de fondo, con el suelo tan limpio y abrillantado que me daba corte ensuciarlo con la suela de mis zapatillas plebeyas.

No tengo que decir que, desde la cabina, no veía la calle. Tenía que darme prisa. Las cosas nunca salen *exactamente* como a uno le gustaría que salieran. Me temblaban los dedos mientras buscaba en las páginas de la erre el apellido de los Rocafort. Roca, Roca, Rocabert, Rocabruna, Rocadembosch, ¡*Rocafort*! No había demasiados, no me costó mucho encontrar los que vivían en aquella calle de Pedralbes. Me apunté el número en el dorso de la mano. Descolgué el aparato y pulsé las teclas correspondientes.

Tiiit, tiiit, tiiit. Se me había metido en el cuerpo una impaciencia frenética y no podía parar de moverme. Saltaba de una pierna a otra, repiqueteaba con los dedos sobre el cristal de la cabina, ni siquiera podía mantener quietecita la lengua, con la que recitaba tacos a media voz. Imaginaba a Manolo saliendo tranquilamente de la clínica, regresando tranquilamente hacia el metro, desapareciendo tranquilamente mientras yo perdía el tiempo colgado de aquel maldito teléfono. Y se me secaba la boca. Y ya eran las siete horas y veintitrés minutos.

—¿Diga? —contestó una voz femenina.

—¿La señora Rocafort?

—Yo misma.

—Yo... —Necesitaba tragar saliva, pero no me quedaba ni una gota. No sabía por dónde empezar—. ¿Por casualidad no tendrán un hijo que ha desaparecido de su casa esta tarde?

—¿Con quién hablo? —La voz de la mujer se agudizó.

—Eso no importa. Escuche: su hijo, ahora mismo, está en la clínica del doctor Villena... —Y le di la dirección aproximada del lugar donde se hallaba—. Venga a recogerlo, por favor, antes de que sea demasiado tarde.

—Pero...

Pero nada. Colgué y salí a la calle a toda prisa, angustiado por la seguridad de que Manolo ya habría salido de la clínica. Tal vez estaría saliendo en el preciso instante en que yo llegara a mi punto de observación. Y en tal caso, ¿qué podría hacer yo? ¿Detenerle? ¿Plantarme ante él y decirle: «Un momento, amigo...»?

No se observaba ningún movimiento en el interior de la casa.

Los únicos movimientos que animaban la calle eran los míos, porque no me podía estar quieto, *cagüendiez*, no me podía estar quieto. Nines me esperaría a las ocho en el Tranvía, y ya eran las siete y media.

Cinco minutos más tarde (*¡19 h. 35 m.!*), llegó otra visita para el doctor Villena. Se trataba de una pareja joven que bajó de un Golf GTi y llamó a la puerta. La enfermera voluminosa tardó casi tres minutos en abrir (*¡19 h. 38!*).

Me sorprendió que llevara otra bata, mucho menos espectacular que la anterior. Esta era más moderna, cerrada hasta el cuello con una larga cremallera. La enfermera parecía muy nerviosa y su comportamiento era decididamente grosero.

—Que no, que no y que no. Que el doctor no está, que ha salido. —Los nervios le hacían levantar la voz, a consecuencia de lo cual yo podía oírla desde la otra acera—. ¡Pues se le habrá olvidado que tenían hora! Debe de haber salido para alguna urgencia... —Tal vez yo sea demasiado desconfiado, pero no me creía una palabra de lo que decía—. ¡No pueden esperar a que vuelva! ¡No volverá hasta mañana! ¡Tardará mucho! ¡Mucho, mucho!

La enfermera estaba entrando en fase de histeria aguda. Temí por la salud de los dos visitantes. También ellos debían de temer por su salud, porque desistieron, se subieron al Golf GTi y desaparecieron calle abajo.

La puerta se cerró de nuevo.

Me pregunté por qué había mentido la enfermera. ¿Tal vez el doctor Villena tenía que discutir asuntos importantes con Manolo y no quería que le interrumpieran?

No veía capaz a Manolo de mantener una conversación coherente de más de dos minutos. O de uno. O de treinta segundos.

Las ocho menos cuarto. Ya no llegaría a tiempo a mi cita con Nines, pero no podía irme de allí sin saber qué pasaba con el niño secuestrado, sus padres y Manolo.

Ya hacía rato que me parecía que mi cuerpo se movía por su cuenta y riesgo, sin pedirme permiso. Y de pronto, cuando solo faltaban cinco minutos para las ocho («adiós, Nines, no me esperes, lo siento, espero que no te enfades mucho»), me vi arrastrado por mis pies hacia la entrada de la clínica, me vi subiendo sin querer los escalones que llevaban a la puerta y pulsando el timbre con insistencia.

«¿Y ahora qué digo?», me planteé.

8

¿Qué le pasa, doctor?

S e abrió de golpe y apareció la enfermera descomunal con cara de «destrozaré a quien ose perturbar mis sueños», como suelen aparecer los monstruos de las películas de terror.

Y la verdad es que, vista de cerca, *era un monstruo de película de terror,* con todo su poderío en aquella bata demasiado estrecha y aquellos rizos despeinados y aquellos ojos de mirada escandalosa y neurótica. Me pareció la persona más chiflada y peligrosa que había visto en mi vida. Nadie que la viera por primera vez podría evitar calcular mentalmente si habría camisas de fuerza de su talla y, caso de que las hubiera, cualquiera se ofrecería voluntario para ir a comprársela. Por si las moscas.

—¿Qué quieres, niño? —graznó.

—¿Está Manolo? —tartamudeé.

—¿Manolo? —preguntó, alarmada.

—Manolo, sí. Manolo Molinero.

—¿Manolo Molinero? —Buscando una respuesta, abrió tanto la boca que, por un momento, temí que se le desencajara la mandíbula. Aquel nombre tenía la virtud de aturdirla como un porrazo. Le costó reaccionar—. ¿Manolo? ¡No, no está! ¿Quién es ese Manolo Molinero? ¡No lo conozco...!

La interrumpí para ahorrarle el penoso esfuerzo de mentir:

—Sí, Manolo Molinero... Ha entrado aquí con un niño, hace más de media hora... —Muy educado, yo, muy inocente e ingenuo ante el atónito desconcierto de la enfermera.

—Manolo Molinero —repitió, como hablando sola. Fingió sorpresa—: ¡Ah, claro, Manolo, no me acordaba! Manolo Molinero... —Sonreía sin ganas y me miraba sin parpadear. Como si viera fantasmas. Como si tras de mí, en el jardín, acabara de descubrir a la Parca arreglando el seto con su guadaña. E, inspirando aire para no ahogarse—: ¿Has venido con Manolo?

—Sí —aseguré, con la ventaja de quien dice la verdad. Y, para ponerme a su altura, agregué—: Me ha dicho que le esperara fuera, que saldría en seguida... —Y rematé—: ¿No se acuerda? Le ha abierto antes de cambiarse de bata, cuando llevaba aquella otra más escotada.

Fue como si le hubiera anunciado que una banda de *skinheads* amigos míos venía de camino para darle una paliza. El monstruo estaba totalmente desarmado. Acababa de ver las cruces, o los ojos, o cualquier cosa capaz de neutralizar sus malas artes.

—Que... ¿Que saldría en seguida...? —tartamudeó, a punto de echarse a llorar. Me franqueó el paso—: Pasa, pasa...

Entré y me vi en un escenario muy diferente al que había esperado encontrar. No se trataba de un gran vestíbulo del que salieran pasillos en todas direcciones, enjambres de médicos y enfermeras empujando literas, ni se oían altavoces ocultos: «Por favor, doctor Hirchberger, doctor Hirchberger, pase por el quirófano...». No se parecía en nada a las clínicas de la tele. Más bien tenía el aspecto de una simple consulta médica privada.

El vestíbulo era muy pequeño y limitaba a la derecha con dos sillas, enfrente con una puerta muy alta, de doble hoja y cristales translúcidos, y a la izquierda un mostrador de formica con un teléfono encima. Y no parecía que hubiera nadie más, aparte de la enfermera descomunal. Las paredes eran blancas, sí, y estaban decoradas con cuadros que incluso parecían auténticos, y las sillas eran de diseño, caras e incómodas, y el suelo relucía como una pista de patinaje, sí, todos los detalles cuidados, lo que hacía suponer que había que tener mucha pasta para visitarse allí, pero yo notaba un impreciso aire de abandono y de mera apariencia que me mosqueó.

La enfermera cerró la puerta y, murmurando un escueto «espera», desapareció por la puerta de cristales translúcidos. Oí cómo subía las escaleras haciendo temblar los peldaños a cada paso, como si llevara botas de bombero. La oí gritar:

—¡Doctor Villena, doctor Villena!

Pero ¿no acababa de decirles a los visitantes que el doctor Villena se había ido?

Me acerqué al mostrador de formica. Al otro lado había una estancia estrecha, con una estufa eléctrica y una mesa y una silla pintadas de blanco. Encima de la mesa, un ordenador y un montón de libros con títulos del estilo de «*HABLEMOS DEL TAROT*», «*EL MÁS ALLÁ ESTÁ AQUÍ*» «*LA MUERTE NO SIGNIFICA NADA*», «*LÍNEA DIRECTA CON LOS ESPÍRITUS*». Uno de estos libros estaba abierto, con muchos subrayados y anotaciones en los márgenes, como si la enfermera lo estuviera estudiando en el momento en que llamé. Si la enfermera leía aquel tipo de libros, no me extrañaba que estuviera como una regadera.

En algún punto lejano de la casa, oí que la enfermera discutía con un hombre de voz pesada.

Se me ocurrió que tenía que llamar de nuevo a los Rocafort para asegurarme de que vinieran. ¿Qué pasaría si llegaban en aquel mismo momento? Me pasó por la cabeza que venían acompañados por la criada escandalosa y que esta me reconocía. «Este es el chico que secuestró a su hijo». Y a ver cómo les explicaba yo toda la aventura.

Entonces, unos pasos tranquilos bajaron la escalera invisible, se abrió la puerta de cristales translúcidos y apareció un hombre muy elegante, impecable, bronceado, con pelo abundante y plateado en las sienes. Uno de estos médicos seguros de sí mismos, instalados en un pedestal muy elevado desde el que deciden si mereces o no mereces ser curado por sus manos mágicas.

—Pasa, por favor —dijo con aquella voz grave y pesada que había oído desde lejos.

Yo quería decir: «Es igual, si yo ya me iba», pero no dije nada y le seguí hacia un pasillo, a la derecha, del que partían unas escaleras ascendentes y a cuya izquierda había un despacho médico forrado de títulos enmarcados, con una ostentosa biblioteca, un mueble de archivo, una mesa y un sillón imponentes, filigranas de diseño posmoderno. El despacho comunicaba con una estancia contigua, supuse que el gabinete médico propiamente dicho, mediante una puerta corredera que estaba cerrada con llave.

—Soy el doctor Villena —se presentó, sentándose en su trono—. ¿Dices que eres pariente de Manolo Molinero?

—No... Bueno, sí... Somos amigos.

Asintió con la cabeza. De hecho, ya había empezado a asentir antes de que yo acabara mi respuesta. Me estaba reservando una sorpresa, y mucho me temía que no iba a resultar precisamente agradable.

—¿Y sabes por qué ha venido Manolo?

No lo sabía, pero me lo podía imaginar.

—Le ha traído un niño.

—¿Y sabes de dónde ha salido ese niño?

—No —*¡Pues claro que lo sabía!*

—¡Ese niño ha sido secuestrado! —gritó de repente, golpeando la mesa con contundencia acusadora y poniéndose en pie como un fiscal dispuesto a comerse crudo al acusado.

—¿Ah, sí? —hice yo—. *Glup.*

—¿Y sabes por qué me lo traía, el muy animal? —seguía gritando el médico—. ¡Para que se lo comprara! ¡Venía a vendérmelo! ¡No sé de dónde demonios había sacado que yo iba a comprárselo! No sé cómo he podido reprimir el impulso de llamar a la policía y... Bien, digamos que no es más que un desgraciado, borracho e inconsciente, y bastante castigo tiene con la vida que lleva... ¡Pero piensa que podría hacer que os metieran en la cárcel! Lo sabes, ¿verdad? ¡Que os encerraran, a Manolo en la cárcel y a ti en el reformatorio del que no saldrías en un montón de años! Ya podéis estarme agradecidos, ya. Pero, si os vuelvo a ver a ti o a Manolo por aquí, te juro que no os librará nadie del trullo, ¿lo entiendes? ¡Nadie!

—Pero ¿dónde está Manolo? —dije sin alzar la voz.

—Manolo se ha ido —dijo él, muy seguro—. Se ha ido por la puerta de atrás. Comprenderás que no puedo permitir que la presencia de ese borracho me comprometa ante mi clientela. Y tú te vas a marchar por la misma puerta. ¡Venga, vamos! —Me agarró por la nuca y me arrastró por el pasillo, al tiempo que gritaba—: ¡Hortensia!

Hortensia nos esperaba allí mismo, con el bebé en brazos, envuelto en la andrajosa manta de Manolo.

—¡Vamos, coge al crío y largo de aquí!

Y la enfermera que me pone al crío en brazos.

Y yo que no sé qué cara poner, no sé si llorar o reír. Por un lado, feliz por haber recuperado sano y salvo al niño; por el otro, asustado de tener que cargar de nuevo con aquella patata caliente.

—Pero ¿el niño...? ¿Por qué no se lo ha llevado Manolo? —pregunté. Por pura curiosidad, claro: prefería mil veces que el bebé estuviera en mis brazos que en los de Manolo.

—¿Crees que es prudente confiarle una criatura como esta a un salvaje como Manolo?

Mientras hablaba, el doctor me iba empujando hacia el fondo del pasillo, donde yo imaginaba que estaría la parte trasera de la casa. Pero nos hallamos frente a un tramo de diez o doce escalones y, tan pronto como empezamos a bajarlos, me di cuenta de que no íbamos hacia un sitio peor, un sótano o similar, sino que íbamos hacia un sitio mejor, mucho mejor.

Llegamos a una lujosa sala, alfombrada y forrada de cortinas, con muebles de estilo antiquísimo, piano y busto de Beethoven. Salimos luego a una especie de salón comedor casi del tamaño de un campo de fútbol y atestado de antigüedades.

El doctor Villena me iba hablando en voz baja, sin disimular su nerviosismo, como si no estuviera en su casa:

—... Y, cuando veas a Manolo, le dices que no se olvide del favor que le estoy haciendo. Yo no os complicaré la vida a vosotros y vosotros no me la complicáis a mí, ¿de acuerdo? Porque si me...

Se hallaba en este punto de su discurso, cuando se oyó una voz procedente de otra habitación, una voz femenina y musical:

—¿Eres tú, Arturo?

La mano del médico, sudada y nerviosa, se crispó en mi nuca, como si le hubieran sorprendido robando en su museo. Estaba a punto de llegar a la conclusión de que la casa era propiedad de alguna otra persona, cuando él contestó:

—¡Sí, querida, soy yo! ¡En seguida estoy contigo...!

Pero no quería que la «querida» nos viese, ni a mí ni al niño, porque nos empujó apresuradamente, alejándonos de la voz. Entramos en una cocina muy parecida a la que había visto en casa de los señores Rocafort. Grande, con toda clase de electrodomésticos y un comedor pequeño en un rincón. El doctor Villena abrió una puerta y me empujó escaleras abajo, hacia un lugar que olía a humedad y que resultó ser una mezcla de sótano, trastero, bodega con largas filas de botellas polvorientas, lavadero desterrado por lavadoras supermodernas, y garaje del gran BMW instalado en medio de la estancia.

Aquí hacía más frío que arriba, porque un par de ventanas tenían rejas, pero no cristales.

—Por aquí ha salido Manolo, ¿lo entiendes? ¡Por aquí!

Llegamos hasta lo que parecía una barra de hierro plantada al lado del coche. En su parte superior tenía un botón blanco que, al ser pulsado por el médico, puso en marcha un bien engrasado mecanismo que abría el gran portón metálico.

El doctor me empujó hacia el exterior.

—¡Y no vuelvas por aquí! —me aconsejó—. ¿Me oyes? ¡No vuelvas por aquí!

Me vi en la acera de una calle y, al volverme para ver de dónde salía, comprendí la geografía de la mansión. Estaba edificada sobre una pendiente que salvaba el desnivel entre dos calles. En la calle de arriba se hallaba la fachada de la clínica, que ocupaba los dos pisos superiores y que debía de ser la parte más antigua del edificio. Pero por debajo de ella aún había dos pisos más, de factura más moderna, donde sin duda tenían su vivienda los Villena. Junto al portón metálico del garaje (que ahora se estaba cerrando automáticamente) había una puerta regia, con escalinata y farolillo, por donde debían de entrar los distinguidos invitados del honorable doctor Villena.

Con el niño en brazos y (no me avergüenza confesarlo) manteniendo con él una limitada conversación sobre el tema «pero qué te han hecho, gamberrete», me trasladé a la calle de arriba, la de la fachada de la clínica. Una vez allí, cuando miré a mi alrededor y me pregunté qué buscaba, los señores Rocafort volvieron a mi memoria. No podía creer que hubieran ignorado mi llamada. Y, confirmando mi suposición, vi un soberbio Mercedes Benz aparcado ante la clínica y un matrimonio hablando con la enfermera monstruosa, que solo mantenía la puerta entreabierta.

Reconocí en seguida al matrimonio. Ella tan diminuta y él con un enorme y extravagante bigote. Había visto su foto encima de la mesilla de noche, un poco antes de secuestrar a su hijo. Imaginé que la enfermera (que se llamaba Hortensia) les estaba diciendo que el doctor Villena no estaba. Se me ocurrió gritar: «¡Eh, que su hijo está aquí!».

Entonces, la puerta se abrió del todo y el doctor Villena apareció ante los Rocafort con todo su empaque.

Los señores Rocafort entraron en la clínica, se cerró la puerta y yo me quedé a solas con mi curiosidad.

¿Qué estaría diciéndoles Villena? «No sé de qué me hablan, no sé nada de nada». O bien: «Anda suelto un niño secuestrador por el barrio. Vayan con cuidado: es muy peligroso. Trabaja con un energúmeno llamado Manolo».

A pesar de todo, permanecí escondido entre las sombras, esperándolos y jugando con el niño. Al fin y al cabo, Nines ya debía de haberse ido del Tranvía, y su caso no era de vida o muerte. Lo que más me preocupaba en aquellos momentos era que el bebé parecía más aturdido que por la mañana. «¿Qué te han dado, gamberrete?». Le olí el aliento, para ver si le habían dado vino. A él le gustó mucho que le pusiera la nariz en la boca. Se reía y me daba puñetazos. No sé si estaba drogado, pero en todo caso era feliz.

—Yo también estoy contento de verte, gamberrete.

Se abrió la puerta de la clínica. Los señores Rocafort salieron cabizbajos, decepcionados, desconcertados. El doctor Villena les daba palmaditas en la espalda:

—Haré todo lo que pueda —les decía. Y una recomendación de última hora—. Y ya les he dicho que ni una palabra a la policía, ¿eh? Que ellos hagan su trabajo, que yo haré el mío. A ver quién llega antes.

—Gracias —le contestaron, sin aliento—. Gracias.

Se cerró la puerta y los señores Rocafort se dirigieron a su Mercedes.

—¿Señores Rocafort? —dije en voz muy bajita. Demasiado. Después de toser, repetí—: ¿Señores Rocafort?

Nos miramos. Vieron al bebé. Se les iluminó la mirada y la sonrisa incrédula ante el milagro más importante de su vida.

Vinieron hacia mí. Abrí la boca. No sabía qué decirles, pero eso no constituyó ningún problema, porque no me dejaron decir nada.

—¿Tú eres el niño? —me preguntó la mujer mientras me quitaba al bebé de los brazos.

—¿Tú eres el niño? —coreó inmediatamente el señor Rocafort.

—¡Es Toni! —confirmó la madre.

—¿Es Toni? —exclamó el padre. Lo comprobó y me dijo a mí—: ¡Es Toni!

Yo seguía sin saber qué decir.

—El doctor Villena... ¿Se lo ha explicado todo?

—¡Todo, chico, todo! —exclamó el agradecido padre, apoderándose de mi mano y estrechándola con fuerza—. ¡Te estamos tan agradecidos...!

Yo no entendía nada. La mujer me besó y se echó a llorar. El hombre sacó dos billetes de la cartera e insistió en que los cogiera. Me resistí, pero solo un poco. Después se ofrecieron a acompañarme a casa y no me resistí, pensando que, por el camino, tendría la oportunidad de averiguar qué era lo que les había dicho Villena.

Naturalmente, no pudieron contener las ganas de repetírmelo todo palabra por palabra.

Villena había tenido que improvisar a la desesperada y le había salido una historia de tres al cuarto: una banda de delincuentes habían secuestrado al pequeño Rocafort con la intención de pedir rescate por él. Pero he aquí que un niño de unos trece años (¡sí, aparento menos edad de la que tengo, ya lo sé!), pariente del jefe de la banda, se había apiadado del niño, lo había rescatado y se lo había llevado precisamente al doctor Villena, al que había conocido unos años antes, cuando aquel se dedicaba a una labor social en un barrio extremo. Le había entregado el niño y le había pedido que se lo devolviera a sus padres. Entonces, el doctor Villena se había comportado erróneamente. «Comprendan —había dicho—, con mi reputación, si alguien supiera que recogía niños abandonados... o, aún peor, secuestrados...».

101

El caso era que le había encargado al chico que cuidara del bebé mientras él localizaba a los padres. Ahora, muy arrepentido, les había prometido a los señores Rocafort que encontraría al chico (o sea: a mí) con toda facilidad, muy probablemente antes que la policía.

—Y, al salir, te encontramos esperándonos... Porque eres tú quien nos había llamado por teléfono, ¿no?

—Sí —dije yo, apesadumbrado.

Los pobres estaban tan ilusionados por haber recuperado a su hijo que no se habían percatado de los agujeros argumentales de aquella patraña urdida por el doctor Villena.

En cambio yo no me podía quitar de la cabeza unas cuantas preguntas. ¿Por qué no les había hablado Villena de la visita de Manolo? ¿Por qué aquel interés por dejarme en buen lugar? ¿Por qué tanto interés por que no le hablasen ni de él ni de mí a la policía?

Y me inquietaba que hubiera asegurado que «podía encontrarme con toda facilidad». Esta afirmación tenía, para mí, un deje de amenaza.

Por mi parte, urdí para los Rocafort una verdad ficticia más cercana a la realidad que ellos conocían. Es decir: la banda de ladrones me había obligado a ayudarlos en el robo de su casa. Les pinté unos ladrones a los que nadie podría haberles negado la más mínima colaboración. Pero, cuando me di cuenta de que pretendían secuestrar al niño, se me subió la sangre a la cabeza y decidí que tenía que hacer algo. Sin pensar ni un momento en los peligros a los que me exponía, les arrebaté al niño y eché a correr. De esta manera le salvé. Después, no obstante, no supe qué hacer con él. Tenía miedo de que, si lo devolvía, me detuvieran y me acusaran del robo. Finalmente, había pensado en el doctor Villena..., etc.

La alegría de los padres que han reencontrado a su hijo hizo que se tragasen mi fábula tan fácilmente como se habían tragado la del doctor. Tuve que repetirles dos o tres veces que no creía prudente que mis padres se enteraran de aquello.

—Ah, ¿que no quieres que tus padres sepan que has salvado a un bebé exponiendo tu vida...? —se sorprendió la señora Rocafort.

—No quiero que sepan que me he visto implicado en un robo. Me mandarían a un reformatorio, ¿sabe?

—¡No es posible!

—Prefiero que les digan que me he encontrado el niño y se lo he devuelto. Solo eso.

Los señores Rocafort estaban dispuestos a complacerme.

—Y... —añadió la señora, como si recordara algo—. ¿No podrías hacer algo para recuperar lo que nos robaron los ladrones?

—No. No creo, señora —dije, con la suficiente convicción como para que no insistieran.

—Oh, no quiero recuperarlo todo. Solo una cosa... Un brazalete con unas piedras rojas, una antigüedad que, más que nada, tiene un valor sentimental...

—No le pongas en un compromiso, mujer —la riñó el señor Rocafort.

Y yo se lo agradecí.

Creo que por las calles de mi barrio no había pasado nunca un Mercedes Benz. En todo caso, no había pasado llevándome a mí de pasajero. Y os puedo asegurar que nunca un coche como aquel había aparcado ante el bar de mi padre.

Por eso salieron unos cuantos parroquianos a ver qué pasaba, por eso salió incluso mi padre, curioso, y por eso todos se quedaron con la boca abierta al verme bajar del lujoso coche.

Eran las diez y cuarto. Mi padre se había pasado un buen rato preparándome la bienvenida, una modesta fiesta amenizada con sus gritos y con una versión especialmente inspirada de su pieza oratoria predilecta, *Quien mal anda, mal acaba,* todo ello rematado con ejemplares medidas disciplinarias.

Os podéis imaginar la cara que puso cuando el imponente señor Rocafort le estrechó la mano diciendo:

—El señor Anguera, supongo. Permítame que le felicite. Puede estar orgulloso de tener un hijo como Juan.

—¿Ah? —farfulló mi padre.

—Su hijo ha..., eeeh..., se ha encontrado casualmente al mío y... nos lo ha devuelto...

En mi vida había conocido a nadie que mintiera tan mal como el señor Rocafort. Su embarullada explicación hizo que mi padre me dirigiera miradas inflamables y persistentes, pero alguien dijo alguna vez que «el medio es el mensaje» y, en aquel caso, el medio (o sea, el elegante señor Rocafort y su Mercedes Benz) era lo bastante impresionante como para impedirle, de momento, hacer preguntas embarazosas.

Al cabo de unos minutos, los señores Rocafort rechazaron amablemente la invitación de mi madre («si quieren picar algo, tortilla de patatas, pan con tomate y jamón...») y anunciaron que tenían que irse, porque el niño ya empezaba a lloriquear de hambre y de frío. Montaron en su carroza y desaparecieron, dejándome solo con mi familia.

Mi padre y yo nos miramos. Por lo que a él respecta, parecía estar viendo a un desconocido que intentara venderle un tranvía. Yo me mantenía impasible, como quien apuesta toda su fortuna a ver quién se ríe primero.

Finalmente, mi padre se rascó la cabeza.

—Venga, Juan —dijo—. Ve a lavarte las manos, que la cena ya está lista.

Me lavé las manos y mi cena estaba lista.

Y la cena de mi padre, empezada, estaba a mi lado.

Comimos en silencio durante unos minutos, mirando fijamente la tele pequeña que tenemos en el comedor, sin entender nada de lo que pasaba en la pantalla.

Por fin, mi padre dejó los cubiertos en el plato, tosió discretamente y dijo:

—¿Has encontrado al niño? ¿De verdad?

—Claro —contesté, sin apartar los ojos del televisor—. ¿Qué estás pensando? ¿Que lo he secuestrado?

—No escurras el bulto —dijo con aquel tono terrible de «no me faltes al respeto». Tomó impulso y añadió—: Podrías haberlo *tenido*.

Estuve a punto de sufrir una ataque de risa.

—Pero, papá. ¿Me tomas por tonto? Para *tener un niño hay que ser una mujer*.

—¡Juan...! —gritó él, cada vez más irritado y amenazador.

9

Van por ti, Flanagan

El día siguiente era veinticuatro de diciembre, Nochebuena, y además domingo. No obstante, el bar de mis padres estaba abierto. Muchos bares de barrio cierran los domingos, o los lunes, o los martes, por aquello del «descanso semanal», pero el bar de mis padres está siempre abierto. Si no recuerdo mal, solo cierra la mañana de Navidad, porque es fiesta grande, y las de Año Nuevo y San Juan (porque las noches anteriores se acaba muy tarde). Hace años cerraba el mes de agosto y nos íbamos de vacaciones al pueblo, al Pirineo; pero, cuando se murió la abuela, mi padre discutió con el tío Pepón y ya no hemos vuelto más. El bar sigue abierto todo el verano y, si quiero ver campo, tengo que ir con el cole de colonias.

A veces pienso que si mis padres cerraran un día entero, Pili y yo los tendríamos que llevar a urgencias, víctimas de un ataque de aburrimiento.

Estaba ayudando a mi padre a desmontar la máquina de café, que se había estropeado y dejaba demasiado poso, cuando sonó el teléfono. Contestó Pili. La oí reír y vino hacia mí muy divertida.

—Agencia de Detectives Flanagan —dijo—. Es para usted, jefe.

Pensé que sería María Gual, para informarme sobre sus gestiones con Charcheneguer el día anterior. Pero me equivocaba: era Nines.

—Hola, Flanagan.

Al oír su voz me puse nervioso. Le había dado plantón el día anterior, en el Tranvía. Ahora me diría: «Qué jeta, pero ¿quién te has creído que eres?» y otros tópicos humillantes. Me molestaba, de verdad, y no sabía cómo excusarme.

—Oh, ah, hola, Nines —farfullé—. Eh, no sabes cómo lo siento, de verdad, no pude, estaba rescatando a un niño, quiero decir que me fue completamente imposible... Estaba ocupado... Quiero decir que era un asunto muy, muy importante, una cosa, como quien dice, de vida o muerte y...

¿Lo veis?, ya he dicho que no sabía cómo excusarme.

Y ella me corta soltándome:

—No te preocupes, Flanagan. *Yo* tampoco fui al Tranvía. Ricardoalfonso tenía un par de entradas para el cine, y aunque la peli no era nada del otro mundo, fui.

—Ah.

Me había quedado con la boca abierta y corto de aliento.

«Aguanta, Flanagan. Tú esforzándote como un cretino para excusarte y ella que te dice que te plantó para ir al cine a ver una película que no le interesaba». ¿Qué había sido de aquella despedida tan romántica? «... Si no volvemos a vernos, quiero que sepas que hace mucho tiempo que no pasaba una tarde tan mágica como esta...». ¡Bah! ¡Palabras, blablablá, papel mojado!

—... De todas formas —seguía ella como si nada—, me gustaría que volviéramos a vernos. Tienes que explicarme el final de tu *aventi*, ¿no?

En ese momento, un detective de *verdad*, como los que interpreta Humphrey Bogart, la habría puesto en su lugar diciendo: «Lo siento, muñeca, pero yo no salgo con niñas de pecho. Cómprate una toalla de baño y llévasela a mamá para que te seque los mocos», o algo por el estilo. En vez de eso, me oí tartamudeando indignamente:

—¡Ah! Bueno... Sí... ¡Mira, ahora no tengo nada que hacer! ¿Esta mañana te va bien?

—¿Ahora mismo? No seas tan impaciente, Flanagan. —Casi podía ver su sonrisa adulta y suficiente de persona que sabe dominar cualquier tipo de situación—. Por la tarde, después de comer. Iré a tu casa. Dime dónde vives.

Yo pensé: «No, no quiero que venga aquí, no quiero que vea dónde vivo». Y le di la dirección y le indiqué cómo llegar al bar de mis padres.

Volví enfadado junto a mi padre y a la cafetera. Si aquello era lo que significaba estar enamorado, que no contaran conmigo. Resultaba evidente que, en circunstancias como aquellas, yo no era capaz de actuar con desenvoltura. Imagino que las personas mayores, cuando se enamoran, también deben de sentirse inclinadas a actuar como borregos, pero ellas saben reaccionar a tiempo, por una cuestión de reflejos, o de experiencias, o de lo que sea, y salen airosos y orgullosos de sí mismos del atolladero. Bien, pues a mí no me pasaba lo mismo. Esta debe de ser la razón por la que se dice que hay que ser adulto para enamorarse. Yo no sabía actuar de aquella manera, y no tenía ninguna intención de aprender. Aunque Nines estuviera buenísima, que lo estaba. Estaba incluso más buena que Carmen, que ya es decir. No sé qué pasa, pero las pijas están siempre más buenas que las demás. Será cosa de lo que comen desde pequeñas, o de la manera de vestirse, o de la de peinarse, tienen mejores asesores de imagen, lo que sea. No lo sé. No lo sé y no me interesa. Ni me interesaba, en aquel momento, porque no tenía la menor intención de enamorarme.

—Pero ¿qué haces? —me preguntó de repente mi padre, exasperado, cuando se me cayó al suelo por quinta vez consecutiva la misma pieza de la cafetera—. ¿Qué refunfuñas?

—Nada, nada. Repasaba la lección de filosofía.

El teléfono sonó de nuevo.

Corrí a contestar personalmente para escaquearme de los gruñidos de mi padre y me encontré con el cascabeleo frívolo de María Gual.

—¡Ey, Flanagan! El Charche ya ha sido debidamente informado de las inclinaciones psicopatológicas de Sabrina —dijo de un tirón. Debía de haberse preparado la parrafada consultando un diccionario. Muy propio de ella—. Ayer mismo, en el descanso del partido de baloncesto. Su equipo iba ganando por cuarenta y cuatro a veintitrés...

—Ah —hice—, ¿y cómo reaccionó?

—Perdieron —resumió ella.

A continuación entró en detalles. Se había acercado a Charche, se lo había llevado a un rincón y le había comunicado que a Sabrina le gustaba mucho recibir cartas verdes, subiditas de tono, atrevidas, aliñadas con sal y pimienta. Al gorila se le pusieron ojos de besugo y empezó a mover la boca como si realmente se hallara en el interior de un acuario. Se tragó el cebo con caña incluida. Dijo: «¿Qué? ¿Ah, sí?» unas veinte veces, y luego tardó siete minutos en hacer la falta personal que le faltaba, y el árbitro tuvo que preguntarle si se encontraba bien. Después del partido, le prometió a María que mañana (o sea: hoy) le daría una carta para Sabrina. Pero hacía unos momentos la había llamado para pedir una prórroga.

—... Imagino que ha sufrido una tarde de intensa actividad literaria, sin resultados satisfactorios. Pero no te preocupes, Flanagan, que pronto tendremos una muestra antológica de cartas pornográficas dirigidas a Montse Bosch.

Satisfecho por las maquiavélicas gestiones de mi socia, volví al trabajo.

Hacia mediodía, estaba trasladando tapas de la cocina a la barra, y el bar estaba lleno hasta los topes, cuando entró Miguel, un joven del barrio que trabajaba de barrendero y que parecía traer alguna noticia muy interesante. Le vi hablar excitado y vi cómo a su alrededor se arremolinaban otros clientes, pero yo tenía trabajo y me perdí los prolegómenos de la historia.

En el segundo viaje cocina-barra, capté las palabras mágicas que me hicieron prestar atención.

«Un muerto —decían—. Le han encontrado muerto. Asesinado. Un navajazo. Un ajuste de cuentas. Delincuentes habituales».

Me abrí paso entre la gente. Mi padre también se había sumado al maremágnum donde ahora opinaban todos.

—Y el comisario Santos... —Un policía de uniforme que se llamaba Monge y al que, en secreto, le llamaban Monjita, gritaba para hacerse oír por encima del griterío. Y repetía—: El comisario Santos..., el comisario Santos... —arrancó por fin cuando dos o tres se decidieron a prestarle atención—: El comisario Santos dice que encontrará a los culpables aunque tenga que poner todo el mundo patas arriba, que no piensa consentir que el barrio se degrade...

—¿Aún más? —ironizaba un pasota, a su lado.

—¡... que el barrio se degrade aún más —insistía el poli— y se convierta en uno de esos guetos sin ley en los que la policía tiene prohibido el paso!

—Es verdad que cada vez hay más violencia en el barrio...
—comentaba un viejo, nostálgico de tiempos que él recordaba mejores.

—¡Cada vez hay más violencia, sí! —se quejaba el Lechón, aquel hombre gordo y grosero que había querido darle una paliza a Carmen dos días atrás—. ¡Cada vez peor!

—Tú no tendrías que hablar, Lechón, que dicen que el viernes mandaste al hospital a Rodríguez, el de las fotos...

—Aquello fue diferente...

—¿Qué ha pasado? —pregunté.

—Un barrendero, compañero de este, ha encontrado a un hombre rajado de un navajazo en las obras de la Avenida.

—Un chorizo de las Barracas —puntualizaba Miguel.

—¡Tendrían que quemar las Barracas! —decía el Lechón—. ¡Tendrían que quemarlas con todos los que viven allí dentro!

—No, todos no —protestaba el dependiente del colmado como queriendo dar a entender que algunos sí tenían que ir a la hoguera—. También hay buena gente. Pocos, pero hay...

—Yo conocía al Manolo —dijo el viejo nostálgico, moviendo tristemente la cabeza.

¿*Manolo?*, repetí mentalmente.

—¿Manolo? —dije—. ¿Manolo qué?

—Manolo Molinero.

—¿Manolo Molinero? —insistí.

—Le llamaban «el Latas».

—¿*Manolo Molinero, «el Latas»?* —chillé.

Todos los contertulios se habían callado y me miraban con severidad.

—¿Le conocías? —me preguntó mi padre, con el mismo tono que habría empleado para preguntarme si me pinchaba heroína.

—No —exclamé, en tono de «qué disparate»—. ¡Claro que no! Bueno, no directamente... Me parece que era tío de una compañera del cole...

—¡Pues al tío de tu amiguita —intervino el Lechón, más agresivo que nunca— le rajaron anoche de un navajazo, y se ha pasado toda la noche con las ratas, en las obras de la Avenida!

—Le hemos encontrado esta mañana —intervino Miguel, el barrendero, erigiéndose en el «propietario» de la noticia—, a eso de las cinco y media. Se notaba que llevaba mucho rato muerto. Yo he estado al lado del cadáver hasta que ha llegado el juez.

—¿Pero no decías —protestó el Lechón— que no estabas allí cuando le encontraron...?

—¡Juanitooooo!

El teléfono había estado sonando sin que nadie le hiciera caso. Había descolgado mi madre y me gritaba:

—¡Juanitoo! ¡Corre, hombre, que es para ti!

Cogí el aparato con manos temblorosas.

—Diga.

—¿*Juan*? —dijo la voz de Carmen—. ¿*Juan*?

Era una voz colgada sobre el abismo, el tono de urgencia de los pilotos de avión cuando dicen aquello de *mayday, mayday*. Voz de malas noticias.

—Acabo de enterarme ahora mismo —le dije—. ¿Qué ha pasado?

—No lo sé. Esta mañana la policía ha ido a buscar a Feli a la barraca. Le han dicho que Manolo ha aparecido muerto. Se la han llevado a Barcelona, al Clínico, para que iden-

112

tificara el cadáver... Y era él... Pero, al volver, no ha llamado a casa de mis padres, no nos ha dicho nada...

Quería decirme algo más. Lo anunciaba su voz, llena de puntos suspensivos, como si estuviera tomando impulso. Incluso me hizo pensar que quizá hubiera alguna noticia más sensacional que la muerte de Manolo.

—¿Por qué no ha dicho nada? —dije, para animarla a continuar.

—Porque... —La noticia—: La estaban esperando. Un hombre y una mujer. En un coche. La han hecho subir... y le han roto un brazo.

—Qué —hice. Así, sin interrogantes, sin exclamaciones, sin aliento.

—Le han roto un brazo.

—Pero ¿por qué?

—¿Podemos vernos, Juan? ¿Puedo ir a tu casa?

La imagen de Nines me pasó fugazmente por la cabeza y me tragué el sí que ya tenía en la punta de la lengua. Nines había dicho que vendría después de comer, y este era un motivo suficiente para que yo no quisiera tener a Carmen en casa a la misma hora. No me preguntéis por qué. La naturaleza humana, a veces, actúa así.

No obstante, Carmen había seguido hablando sin esperar mi respuesta.

—... Es que tengo muchas cosas que decirte, Juan. Anoche estuve hablando con mi hermana, y esta mañana, ahora mismo, cuando la he acompañado a que la curasen, me ha explicado muchas cosas...

—Me gustaría verte aunque no te hubiera contado nada —la atajé («¡encaja esta!», no me negaréis que de vez en cuando sé quedar bien, ¿verdad?)—. Pero no es necesario que vengas a casa. Podemos encontrarnos dentro de media hora... ¿Dónde estás ahora? ¿Con Feli? ¿En el hospital?

—No. No ha querido ir al hospital. ¡Me ha obligado a llevarla a una curandera de las Barracas! No quiere ni oír hablar de hospitales o de policía. Está muy asustada.

—¿Dónde estás?

—En mi casa, en las Casas Buenas.

Calculé un lugar que quedara a medio camino entre las Casas Buenas y el bar de mis padres.

—Pues nos encontramos en los jardines de la Punta, ¿de acuerdo?

—Es que...

—Dame media horita para comer. —Podía oír a mi madre trabajando en la cocina—. Cumplo con la familia y en seguida estoy contigo, ¿de acuerdo?

—Es que, Juan, no es prudente que salgas de casa porque, ¿sabes?, esos hombres, los que le han roto el brazo a Feli..., *van a por ti.*

—¡No importa! —exclamé tan pancho, *¡Santa Inconsciencia!*—. Dentro de media hora en los jardines de la Punta. ¡Te espero!

Colgué el teléfono. Me fui hacia la cocina y le pedí la comida a mi madre.

—Es que tengo que ir a un sitio y tengo mucha prisa...

—¡Siempre con prisas, siempre con prisas! —se quejaba ella, que siempre andaba con prisas.

¿Qué me había dicho Carmen?

Que iban por mí.

Se me pasó el hambre de golpe. No es para menos, cuando te dicen que un sádico rompebrazos te está buscando.

—¿Qué te pasa, Juanito? —me preguntó mi madre—. ¿Te encuentras mal?

—Es que está enamorado —apuntó Pili.

—Sí, señor —ratifiqué yo—. Estoy enamorado. Porque, si no, no se explica.

Veinticinco minutos más tarde, salía del bar bajo la mirada recelosa de mi padre y, una vez en la calle, arrancaba a correr como una moto, no sé si con la intención de llegar puntual a la cita con Carmen o huyendo de los monstruos rompebrazos que pudieran estar al acecho.

Jadeaba de fatiga y de miedo cuando llegué a los jardines de la Punta, donde me esperaba Carmen. Estaba guapísima, con un vestido violeta, muy moderno y extravagante, y no pude reprimir el impulso de besarla brevemente en los labios (*¡brevemente, pero en los labios!*). Ella, en cambio, reaccionó echándome los brazos al cuello y apretándome muy fuerte (*un simple abrazo, pero fuerte y prolongado*).

—¡Juan, Juan, Juanito! ¡En qué líos te meto! —Me miraba a los ojos con admiración turbadora—. ¡Y qué valiente eres! ¡Si te he dicho que te están buscando...!

—Sí, pero ¿quién me está buscando?

Eché a andar, mirando a derecha e izquierda, seguro de que los rompedores de brazos no me perdían de vista. Ella se puso a mi lado, se colgó de mi brazo y me lo explicó todo.

10

El Mercado del Niño

Cuando salí en persecución de Manolo, el día anterior, Carmen volvió a la barraca y le soltó a su hermana:

—¿Por qué ha dicho Manolo que el niño era Jose, si no lo era? ¿Qué piensa hacer con él?

Al principio, Feli se resistió. Decía cosas como «no es asunto tuyo», «déjame en paz» y «no te metas donde no te llaman». Pero estaba demasiado asustada, angustiada, entristecida como para resistir demasiado, y Carmen solo tuvo que añadir: «Quiere vendérselo, ¿verdad? Quiere vendérselo como vendió a Jose», para que las lágrimas formaran un grueso velo sobre los ojos de la hermana mayor y, con labios temblorosos, confesara que sí, que Manolo había vendido a Jose, y que ahora se disponía a hacer lo mismo con el bebé desconocido.

Hacía cosa de un año, año y medio, que un hombre y una mujer recorrían las barracas ofreciendo dinero a cambio de bebés.

Se habían dado a conocer ofreciendo trabajo bien retribuido (de la llamada economía sumergida, claro) a unas cuantas familias. Llegaban con su furgoneta verde y repartían brazos y piernas y cuerpos de goma que la gente tenía que encajar y convertir en feas muñecas que después serían premio en tómbolas tronadas.

La *Pareja* (como los llamaban por falta de nombre cristiano) volvía cada semana, repartía más dinero y muñecas desmembradas y se llevaba las recompuestas. Trabajo demasiado fácil, demasiado bien pagado, que en seguida hizo sospechar que ocultaba una segunda intención, aún más turbia. Algunas mujeres incluso llegaron a sospechar que la *Pareja* dedicaba los domingos a desmontar lo que ellos montaban y que siempre trabajaban con los mismos miembros, cabezas y cuerpos de goma. De esta manera, bien a causa de sus maquinaciones o bien a causa de su magnanimidad, hombre y mujer se hicieron muy populares y, al cabo de poco tiempo, confirmando todos los recelos, hicieron correr la propuesta del comercio de bebés.

«Si alguna de vosotras se queda embarazada —decían—, y no se ve con ánimo de criar al hijo que vendrá, nosotros estamos dispuestos a encontrar una familia que lo adoptará». Decían que hay muchos matrimonios que no pueden tener hijos y que querían adoptar uno y que pagarían cualquier cosa para tenerlo. Garantizaban que los niños irían a parar a manos de buenas familias acomodadas, y que sin duda crecerían en mejores condiciones que las que podría ofrecerles el barrio. Quien aceptara el trato tendría que ocultar su embarazo, dispondría de una excelente atención médica y debería abstenerse de inscribir al bebé en el Registro Legal.

Parecía que la *Pareja* iba cargada de buena fe, que solo les movía el interés por los demás, el ánimo de hacer obras de caridad.

Pero ofrecían una fortuna por cada niño y eso, claro, lo estropeaba todo.

Porque el dinero despierta la codicia, y en seguida salieron los que en aquello no vieron más que un negocio, y se pusieron a hacer niños por encargo, solo por la recompensa prometida, y también se habló de secuestros, y de niños aparecidos de nadie sabía dónde que iban a parar a ese monstruoso mercado del bebé.

Al llegar a este punto, el llanto de Feli se había desbordado, venciendo toda la resistencia que había conseguido oponer hasta aquel momento. Se había abrazado a Carmen jurándole que ella no quería vender el hijo cuando estaba encinta. Ella quería ser madre, tener un hijo y educarlo como buenamente pudiera. Pensaba ponerse a fregar por las casas, como hacía su madre, y enfrentarse a Manolo, si era preciso, para garantizar una vida decente a su hijo. Por esta razón, cuando se confirmó el embarazo, dejó el trabajo de las muñecas y procuró no coincidir con la *Pareja*.

Fue la *Pareja* quien la buscó a ella. Le ofrecían una clínica en la que pariría con todas las garantías sanitarias, un médico, casi el doble de lo que pagaban antes. Les daba igual que ella no quisiera vendérselo: estaban dispuestos a apoderarse del bebé de una manera u otra. Y Feli se negaba, no quería saber nada del asunto.

Y pregonó su maternidad a los cuatro vientos, hizo que todo el mundo se ilusionara ante la inminente llegada del niño, incluso los señores Ruano empezaron a hacerse a la idea de ser abuelos. A fin de no caer en ninguna trampa de médicos forasteros, el barrio recurrió a una comadrona de las Casas Nuevas. Y así nació Jose.

Feli, ingenua, pensaba que, si la gente conocía la existencia del bebé, ni Manolo ni la *Pareja* se atreverían a quitárselo. No contaba con la avidez de Manolo. Aquel hombre sin escrúpulos no podía dejar perder una ocasión como aquella. Él se encargó de que el niño no fuera inscrito en el Registro Legal. Y, tan pronto como pudo, irrumpió en la barraca en compañía de la *Pareja* que, sin ningún miramiento, se apoderó de Jose y se lo llevó.

—¿Qué habrá sido de mi hijo? —Lloraba sin freno y sin fuerzas Feli, abandonándose en brazos de Carmen—. ¿Para qué lo quieren? ¿Qué le harán? ¡Son gente mala! ¡La gente que secuestra así a un niño es gente mala! ¡Le harán daño! ¡Quiero que me devuelvan a mi Jose!

Carmen también lloraba, al día siguiente, mientras me lo contaba.

Estábamos sentados en un talud que se formaba en un rincón de los jardines de la Punta, detrás de un banco y de un quiosco donde vendían golosinas, confiando en que a ningún monstruo rompebrazos se le ocurriera irnos a buscar allí detrás. Carmen luchaba contra el llanto apretando muy fuerte los labios y mi mano, y a mí también se me había hecho un nudo en la garganta. Y una bola de rabia muy grande me atascaba el pecho.

Aquel día, cuando la *Pareja* hubo montado en su furgoneta verde y se alejaba de las Barracas, Manolo los persiguió en una moto, que seguramente había robado con aquella finalidad. En sus ojos bailaba aquella chispa traviesa, que algún día enamoró a Feli y que ahora la helaba de espanto, y que parecía decir «de mí no se aprovecha nadie».

Horas después, volvió y le dijo que ya había encontrado la manera de hacer pasta gansa; que si Feli sabía de algún bebé que estuviera en venta, solo tenía que decírselo, porque él sabría cómo sacarle una morterada de pasta.

—Como es natural, Manolo suponía —deduje yo— que la *Pareja* solo eran los intermediarios de alguien más importante. Y siguió a la furgoneta verde para saber adónde llevaban a Jose y quién era el auténtico comprador de los niños. Y ayer, cuando se vio con un niño en su poder, se lo llevó corriendo a aquel lugar, para vendérselo directamente y ganarse así la comisión de los intermediarios. Y esta vez fui yo quien le siguió a él... hasta la clínica del doctor Villena.

—¿Y qué pasó después? —me preguntó Carmen, halagándome al dar por sentado que yo tenía respuesta para todo.

Y el caso es que sí que tenía respuesta para todo. Claro que, sin ninguna prueba, solo se trataba de una serie de suposiciones sin una base sólida. Por eso tuve que reconstruir la historia recurriendo a la imaginación:

—Imagínate —dije, cogiendo la mano de Carmen entre las mías y mirándola fijamente a los ojos—, imagínate que Manolo, camorrista, irresponsable y borracho, llega a la clínica y le ofrece el bebé al elegantísimo, correctísimo, riquísimo y fuera de toda sospecha doctor Villena. Y le exige una cantidad muy superior a la que pagó la *Pareja* por Jose; seguro que se ofreció como intermediario, proveedor de bebés, sustituto de la *Pareja. Y*, muy probablemente, le insinuó la posibilidad de hacerle chantaje. Tú que conocías a Manolo, ¿crees que lo que digo resulta coherente?

—Perfectamente coherente —dijo Carmen con reverencia.

—Imagínate que al doctor Villena le entra miedo, que pierde los estribos, que quiere echar de su casa a aquel desvergonzado..., que se pelean... Y que, más o menos voluntariamente, el doctor Villena mata a Manolo. Con un bisturí, por ejemplo, o con cualquier instrumento de los que los médicos tienen en su consulta.

Carmen abrió la boca de par en par, maravillada, como si estuviera siendo testigo del crimen reflejado en mis pupilas.

—Imagínate que entonces llego yo preguntando por Manolo, diciendo que está allí porque yo le he acompañado y le he visto entrar. ¿Qué hacen?

—¡Te matan! —supone ella, contra toda lógica.

—No. Me endosan al crío para quitarse de encima las pruebas que pudieran comprometerlos. Y me echan amenazándome: «Si dices algo a la policía, puedes ir a parar a un reformatorio, y no saldrás de allí en un montón de años...». Después de todo, como testigo, yo soy poca cosa. Sería mi palabra de chico de barrio contra la suya de médico de categoría. Yo tendría todas las de perder.

—Fíuuu —silbó ella.

—Imagínate que entonces llegan los señores Rocafort reclamando al niño. El doctor Villena tiene que improvisar una leyenda húngara que no le compromete. Dice que él lo encontrará, que él los ayudará, pero, sobre todo, que no digan nada a la policía. Esta es, claro, su principal obsesión. Incluso les habla bien de mí, pintándome como un héroe, no fuera a ser que me encontraran por la calle (como efectivamente ocurrió) y se les ocurriera llevarme de cabeza a la comisaría, y allí se tirara de la manta.

—Muy listo ese Villena.

—Pero no tanto como yo. —De vez en cuando, una brizna de inmodestia te da seguridad en ti mismo y te ayuda a reflexionar—. ¿Cuál sería, a fin de cuentas, el primer objetivo de Villena? Encontrar al niño, puesto que él ignora que ya ha vuelto con sus padres. Y eso significa encontrarme a mí. Y a mí solo puede encontrarme de una forma: a través de Feli. De modo que envía a alguien, tal vez a la *Pareja*...

—Sí, a la *Pareja* —confirma Carmen.

—... a interrogar a Feli. Y, de paso, les pide que le den un buen susto que le quite las ganas de contarle a nadie lo que ha pasado. Feli puede ser un testigo muy molesto, si explica todo lo que sabe de Manolo, y de la venta de Jose, y de la clínica de Villena... —Callé. En realidad el testimonio de Feli era muy importante. Después de la muerte de su marido, la policía tenía que hacerle caso—. ¿Te parece que querría ir a denunciarlos a la poli?

—No —contestó de inmediato Carmen—. Tiene miedo. No ha querido decirle nada al comisario esta mañana, cuando la han llevado a identificar a Manolo y, ahora, después de lo del brazo, el miedo se le ha multiplicado por mil. —Y añade—: En cambio a ellos, a la *Pareja*, sí les ha dicho lo que querían saber, Juan...

—Claro. Es comprensible —la tranquilizo yo desde mi intranquilidad—. Yo también habría hablado.

—Les ha dicho todo lo que sabía de ti. Me lo ha contado esta mañana, cuando la he encontrado.

La había encontrado despeinada y desconcertada, haciendo la maleta con una sola mano para huir del barrio y del mundo, para desaparecer para siempre jamás. Y parecía que hubiera enloquecido, daba un poco de miedo, porque todavía lloraba la muerte de su marido, cosa que parecía celebrar todo el barrio. Manolo la había perjudicado más que a nadie, y ella, a pesar de todo, le lloraba. Quizá por una cuestión de principios. O quizá porque los demás juzgábamos a Manolo por todo lo que había hecho mal, mientras que ella, en aquellos momentos, solo era capaz de recordar el lado bueno de su carácter (que alguno habría tenido alguna vez, vamos, digo yo).

La furgoneta verde le había cortado el paso a Feli y el hombre la había obligado a subir. La habían hecho hablar, preguntándole por un chico que ayer llevaba un crío, que había ido a venderlo con Manolo. Les había bastado con meterle el miedo en el cuerpo para hacerla hablar. No le habían tocado la cara ni le habían gritado. Fue después de que hablara cuando le hicieron daño, solo a modo de advertencia, para que no se olvidara de ellos. Aquel salvaje había ido al grano con premeditación y sangre fría. Una paliza habría resultado mucho menos brutal. Le rompieron el brazo y la despidieron. Ella ya había cantado todo lo que sabía de mí: que me llaman Flanagan y que juego a ser detective. Feli no sabía dónde vivo, pero les había orientado hacia el instituto.

Carmen estaba tan angustiada por mí, tan asustada, en aquel momento me quería tanto que yo no podía menos de corresponder con el mismo sentimiento.

—Una furgoneta verde —dije, escudriñando arriba y abajo la calle—. No me dan miedo. Los veré venir.

—¿Y qué harás, Juan?

—¿A ti qué te parece que tengo que hacer? ¡Recuperar a Jose, claro! ¡Y devolvérselo a su madre! ¡Ahora que Manolo no está, estoy seguro de que Feli sabrá educarlo como es debido!

—Pero, Juan, ¿es que no comprendes que no hay nada que hacer? El plan del doctor Villena es perfecto, no hay por donde cogerlo. Jose no existe, porque no fue registrado en el Juzgado. Ahora constará como hijo natural de la familia que lo ha comprado. Ellos sí que lo habrán registrado, seguramente con un certificado de nacimiento firmado por Villena, lo que los convierte a todos los efectos, en padres del niño, y no hay forma humana de demostrar lo contrario.

Tenía razón. Incluso si Feli declarara a la policía lo que sabía de la *Pareja* y todo lo que Manolo le había contado del doctor Villena, no encontraría a nadie que apoyara su testimonio y acabaría siendo la palabra de una mendiga contra la de un ginecólogo de prestigio. No se podía hacer nada,

123

como decía Carmen. Pero, no obstante, arrebatado por la inconsciencia que me caracteriza, inspiré todo el oxígeno que pude por la nariz y, sacando pecho y arqueando las cejas, como quien no dice nada, dije:

—Carmen... —con aquella suficiencia que me hace odioso para mucha gente y que siempre me ha dado fuerzas para cometer las más grandes tonterías—. Si yo digo que devolveré a Jose a su madre, puedes estar segura de que hay un elevado porcentaje de posibilidades de que Jose vuelva con su madre...

Valió la pena. La mezcla de lágrimas y risas, y la admiración abriéndome paso por la barrera de la angustia y tristeza, hicieron de Carmen la chica más atractiva del mundo.

—¿De verdad? —exclamó, en el súmmum del entusiasmo—. ¿Lo harás, Juan?

—¡Claro! —contesté, aparentando más seguridad de la que tenía—. ¡Ahora ya sé dónde buscar a Jose! Será relativamente fácil.

—¡Olé, detective saleroso! —exclamó ella, riendo ya abiertamente. Saltó del talud en el que nos hallábamos y, tirándome de la mano, me arrastró a un bar cercano—. ¡Venga, Johnny Flanagan! ¡Invítame a comer para celebrarlo!

—Pero ¿todavía no has comido?

No había tenido tiempo. Al encontrar a su hermana en el estado en que la encontró, había tenido que acompañarla a la curandera, había asistido al escayolamiento del brazo y había vuelto con Feli a la barraca. Después, le había faltado tiempo para llamarme y correr a encontrarse conmigo.

El bar estaba hecho a la medida de Carmen, repleto de andaluces alegres y expansivos, que tomaban café y copa, que se daban sonoras palmadas en la espalda y que hablaban a gritos para hacerse oír por encima de la música de depurado estilo *lolailo* que surgía de un antiguo *juke-box* y llenaba el local.

Carmen pidió un aceitoso bocata de atún que se zampó en un visto y no visto. Yo tomé una naranjada sin agujeros. Y, mientras duró su comida, me tocó a mí el turno de escucharla boquiabierto. Me maravillaba su forma de hablar de cosas trascendentales empleando aquella cantinela y aquel acento delicioso e introduciendo chistes y juegos de palabras desconcertantes.

—A veces —decía, por ejemplo—, te juro que me entran ganas de darme de baja de este mundo asqueroso que nos tienen preparado esta pandilla de irresponsables que son los mayores, los adultos. Y no te estoy hablando de suicidio, cuidado, que no estoy lela. Estoy pensando en irme a una isla desierta y fundar allí la República de los Niños, bueno, de los Muchachos, sí, pero tenemos que hacerlo antes de que sea demasiado tarde. Nos montaríamos nuestro mundo a nuestra manera y les daríamos una lección a estos sabihondos que nos quieren enseñar a vivir cuando ni ellos mismos se aclaran. ¿Qué? ¿Vendrías conmigo?

¡Al fin del mundo iría con ella!

Se acaba el bocata y, en aquel preciso momento, en el *juke-box* empieza a sonar un tema que la arrastra al centro del bar y la obliga a bailar en medio de todos aquellos hombretones, que llevan el ritmo dando palmas.

Pero bailaba solo para mí, mirándome a los ojos con una sinceridad que espeluznaba, dedicándome el vuelo de la falda del vestido violeta, aquel vestido tan moderno que acentuaba su belleza, dándole un aire de modelo exótica de anuncio tentador.

—*Cuando el amor* —cantaba— *llega así, de esta manera, uno no se da ni cuenta...*

Era *Caballo Viejo*, pero no en la versión empalagosa de Julio Iglesias, sino en otra, mucho más rumbera, de Roberto Torres. La incorporé a mi repertorio de canciones cargadas de significado, al lado de aquel *Without you* que algunos de vosotros recordaréis.

Bailaba Carmen, y cantaba:

> *...Caballo le dan sabana,*
> *y tiene el tiempo contao,*
> *y se va por la mañana*
> *con un pasito apurao*
> *a verse con su potranca*
> *que lo tiene embarrascao.*

¡Yo sí que estaba *embarrascao*, significara lo que significara la palabreja! Y daba palmas Carmen, añadiendo su ritmo al de los hombres que le hacían ruedo, convirtiendo este remoto ritmo del Caribe en algo mucho más cercano. Incluso yo palmeé, y me detuve a tiempo, cuando me di cuenta de que estaba a punto de dar al traste con toda aquella armonía a causa de mi torpeza.

Y acabó el tema, y aplaudieron la alegría de Carmen. Y ella, plantada allí en medio, me riñó afectuosamente:

—Eh, tipo duro, ¿es que no piensas decirme nada del vestido?

El vestido violeta, tan exagerado, tan extraño, que parecía salido de un revista de modas del mes pasado.

—Es muy bonito, sí —le reconocí—. Te está muy bien.

—¿De dónde lo sacaste? —me preguntó.

—¿De dónde lo saqué? ¿Yo?

—¡No te hagas el despistado! ¡Tu me trajiste anoche este y otros vestidos! ¡Me los dejaste en una bolsa, en casa de Feli!

¡Los vestidos de Nines! ¡La ropa que Nines puso en el fondo de la bolsa para hacerle una cuna al bebé!

—Ah —hice.

—Eres de los que no saben hacer regalos, ¿eh?

—Oh... —Y pensaba: «¡Nines! ¿Qué hora es?». ¡Debía estar esperándome en casa!

—¿Pensabas que quizá me lo tomaría a mal?

—Eh, qué, ah, no...

Carmen se me sentó en las rodillas. Me puso una mano en cada mejilla y me miró como si mi sola contemplación ya la hiciera feliz, como si se le subiera a la cabeza, como si estuviera dispuesta a hacer cualquier disparate.

—¡Eres el tío más extraño y más importante que he conocido en mi vida! —proclamó.

E hizo un disparate. Me besó de verdad, en la boca y empleando todo el tiempo que juzgó necesario. La boca se me llenó con la humedad de sus labios y se me cayó encima una nube turbadora y la sensación de que la fuerza de la gravedad se anulaba durante unos instantes en nuestro honor.

—¡Pero qué *salao* eres!

Y yo correspondí con otro disparate.

Con el rostro encendido de vergüenza, farfullé:

—¡Perdona, no me acordaba, tengo prisa! ¡Tengo que irme! ¡Te llamaré esta noche, tan pronto como llegue! ¿De acuerdo?

Me la quité de encima, pagué las consumiciones con manos temblorosas y me fui corriendo.

Fue una huida, una cobarde e ignominiosa huida, lo sé, pero no pude evitarlo.

11

Los huérfanos de Nochebuena

E l bar de mis padres rebosaba de griterío y de humo de puros, como en una tarde de domingo cualquiera con partido de fútbol espectacular. En la mesa de siempre, los jugadores de manilla de siempre y los curiosos de siempre espiándoles las jugadas por encima del hombro. De nuevo me pregunté qué se había hecho de la tradicional celebración navideña, y me entristecí un poco por el olvido de algo que yo nunca había conocido demasiado.

Mi madre, atareada tras la barra, me vio y me dijo:

—¡Juanito! ¡Ya era hora, hombre! ¡Venga, date prisa, que llegarás tarde a la fiesta!

—¿A la fiesta? ¿A qué fiesta?

En ese momento descubrí a Nines. Estaba al lado de mi madre, arremangada y ayudándola a fregar los platos.

—¡Ey, Flanagan! —me saludó—. ¡Vamos, cámbiate, que se hace tarde!

Toda la pandilla de asiduos del bar (el Lechón, el chico del colmado, Miguel el barrendero, el policía al que llamaban Monjita, el viejo nostálgico) se apiñaban ante la belleza, se la comían con miradas incendiarias, le lanzaban comentarios atrevidos y bromas cargadas de segundas intenciones.

—¡No está bien eso de hacer esperar a la novia, Juanito! —me soltó uno de ellos, propinándome una palmada en la espalda que por poco me hace salir el corazón por la boca.

—¡Qué no se llama Juanito, que se llama Flanagan! —corrigió el Lechón.

Y todos se echaron a reír.

A menudo, cuando los adultos exhiben su sentido del humor, se hacen muy odiosos, ¿no os parece?

—Ve a cambiarte —me ordenó mi madre—. Ponte la americana de la boda de la prima Lucrecia...

—¡No! ¡Ni hablar! —me opuse, horrorizado.

—¡No pensarás ir así a la fiesta de los Rocafort!

—¿A la fiesta de los Rocafort?

No había nada que hacer. Yo era el único que no sabía de qué iba la jugada y aquello me ponía en manifiesta inferioridad de condiciones.

Más tarde, Nines me informó de todo.

Se había presentado en el bar a la hora convenida y, al ver que yo no estaba, intrigada por saber cómo había acabado la aventura del día anterior y lo que mis padres sabían del asunto, había improvisado:

—Vengo a agradecerle a Flanagan lo que hizo ayer. ¿Acabó todo bien?

—¡Claro que acabó bien! —exclamó, efusiva, mi madre, recordando el Mercedes Benz de los Rocafort.

—¿Ya sabe que salvó a mi hermanito? —continuó Nines, disparando a ciegas.

—¿Tú eres hija de los Rocafort? —se sorprendió mi madre.

—¿Conoce a mis padres? —replicó Nines, mintiendo solo indirectamente.

—¡Pues claro que sí! ¡Si vinieron anoche con niño y todo! ¡Trajeron a Juanito, y nos contaron cómo había salvado a tu hermanito...!

—Pues he venido a invitarle a pasar la Nochebuena con nosotros..., si ustedes no tienen inconveniente. Como él nos dijo que ustedes no la celebraban... Queremos demostrarle nuestra gratitud...

A continuación, se puso a fregar los platos tras la barra, admirada por mi padre y por los parroquianos, y mirada con recelo por Pili, que no sabía si tenía que ver en ella a una especie de competidora.

Y yo me encontré en mi habitación sin decir nada, poniéndome la americana de la boda de la prima Lucrecia, la pajarita de las bodas de plata de los tíos, los pantalones de mírame y no me toques que más odio y los zapatos buenos, que me aprietan en el talón.

Todo aquello no contribuyó a ponerme de muy buen humor, pero no me obstiné en encontrar respuestas que no estaban a mi alcance. Me distraje acabando de perfilar el plan que había estado elaborando camino de casa y que también me había ayudado a sacudirme la vergüenza y la mala conciencia de mi comportamiento hacia Carmen. La perspectiva de pasar la Nochebuena fuera de casa favorecía notablemente mis intrigas.

Por eso, una vez que me hube vestido de boda, vacié la mochila del cole y la llené con mi maravillosa, enorme, linterna de profesional; la caja de pañuelos que me regaló la tía Eulalia por mi santo... y mi arma secreta y antirreglamentaria. Mi Magnum 357.

En toda novela negra, siempre llega un momento en que el detective abre un cajón y saca su pistola porque supone que pronto la necesitará, ¿verdad?

Bueno, yo no tengo ninguna Magnum 357, pero sí un fabuloso tirador de alta precisión. Me gustaría que os hicierais una buena idea de cómo es. Intentad dibujarlo a medida que os lo describo.

Es bastante más grande que un tirachinas normal, metálico y con un mango de material plástico, auténtica culata con cuatro hendiduras donde encajar los dedos. Del punto donde se unen el mango y la horquilla, surge, paralela al brazo, una barra de hierro con una almohadilla que se apoya en el antebrazo, de forma que, cuando tiras de la goma (auténtica cámara de bicicleta, muy dura y capaz de lanzar un proyectil a casi cien metros), la estabilidad del arma se afianza en el antebrazo y la mano izquierda no hace ningún esfuerzo y solo se encarga de apuntar.

—¿Dónde vas con esa bolsa? —me gritó mi madre cuando me vio.

—Es que llevo unos regalos para los señores Rocafort.

Mi padre me miraba con desconfianza. Pili también. Todos los clientes me miraban con una mezcla de envidia y avidez. Y debo reconocer que aquel conjunto de miradas me halagaba. ¿He dicho que Nines tiene una figura, y unos ojos, y un pelo espléndidos? ¿He dicho que vestía un jersey negro de cuello alto, y una cazadora de cuero, de aviador, que la hacía parecer de lo más deportivo y de lo más adulto? ¿He dicho ya que Nines es un poco más alta que yo?

Al salir a la calle, tuve la ocasión de comprobar de nuevo el magnetismo de mi acompañante. El Plasta venía cruzando la calle y, al vernos, se detuvo y se nos quedó mirando como si fuéramos los Reyes de Oriente de paisano. Faltó un pelo para que le atropellara un coche.

—¡Cuidado, Plasta! Pero ¿qué te pasa?

Se plantó ante nosotros en la acera, firmemente decidido a entablar conversación.

—¡Caray, Flanagan! No conocía a tu amiga... ¿Me la presentas?

—¿Me lo vendes por la mitad de lo que me pediste?

—Oh, sí, sí —dijo, distraído, mirando a Nines con una sonrisa ansiosa de aquellas que normalmente solo se ven en las películas de dibujos animados.

—Trato hecho —concluí yo—. Tú eres testigo, ¿eh, Nines? Ha dicho la mitad. Esta es Nines, una amiga. Y este es el Plasta. ¿Vamos?

—¿Eh...? ¿Qué...? —Cuando acabó de formular estas dos elaboradas preguntas, nosotros ya estábamos montando en una formidable Honda Vision de 50 c.c.

—¿A qué te referías con eso de la mitad? —me preguntó Nines, mientras se ponía un aparatoso casco integral.

—Acabo de comprarle un teleobjetivo con zoom 35-400. He hecho un buen negocio. —Pero yo estaba atónito ante la Honda Vision—. ¿Esta moto es tuya?

—Claro. Con ella he llegado hasta aquí. ¿Vamos?

Subí a la grupa, arrancó y nos fuimos del barrio.

Un rato después, estábamos en el Tranvía tomando sofisticados combinados de zumos de fruta. Nines me explicaba cómo había engañado a mi madre, cómo se había puesto a ayudarla a fregar platos tras la barra.

—¡... Si hubieras visto la cara que ha puesto! ¡Y si vieras la cara que ha puesto toda esa gentuza que tenéis como clientes...! —Nos reíamos—. Esa pandilla de lelos que me miraban boquiabiertos, así, con un hilillo de baba que les colgaba, «jope, ¿y esta de dónde ha salido?».

Nos reíamos del grasiento Lechón, del poli al que llamaban Monjita y del barrendero mentiroso y exagerado.

Y, de vez en cuando, nos poníamos serios y jugueteábamos el uno con los dedos del otro.

—He pensado —me suelta Nines— que, si tú no celebrabas la Nochebuena en tu casa y yo no la celebraba en mi casa, podríamos encontrarnos y celebrarla juntos, los dos, sin padres...

—Los huérfanos de Nochebuena —nos bautizamos.

La puse al corriente de todo lo que había ocurrido el día anterior, a partir del momento en que nos habíamos separado. La visita a las Barracas, la persecución de Manolo hasta el consultorio del doctor Villena, la recuperación del bebé, mis teorías al respecto de la muerte de Manolo. Una versión fiel, pero exagerada en lo que hacía referencia a Carmen, indignamente reducida en mi versión a la simple condición de clienta *lolailo*.

Si había pensado que la noticia de la muerte violenta de Manolo la asustaría, me equivocaba de medio a medio. La había impresionado, sí, pero al mismo tiempo había aumentado su interés por el asunto como si, aburrida de su vida monótona y sin preocupaciones, necesitara emociones, cuanto más fuertes mejor.

—¿Y qué piensas hacer? —me preguntó.

—Aprovechar que me has sacado de casa para ir a la clínica de Villena. Allí mataron a Manolo y es el único lugar donde podemos conseguir pruebas. Solo allí podremos demostrar la existencia de la red de venta de recién nacidos... Y solo allí podremos recuperar a Jose para su madre.

—¡Sí...! —se entusiasmó ella—. ¡*Tenemos* que ir! ¡Y tiene que ser esta misma noche, Flanagan! ¡Porque hoy es Nochebuena y es posible que el doctor haya ido a celebrarlo fuera de casa!

—Eso mismo había pensado yo —la apoyé—. Por eso me he traído mi equipo de salteador de caminos.

—¡*Los huérfanos de Nochebuena* entran en acción!

Esperamos a que oscureciera, hablando de esto y de aquello y haciendo manitas.

Cuando montamos en la Honda y nos dirigimos hacia el barrio de San Gervasio, Nines solo demostró su nerviosismo preguntando:

—¿Y si el doctor Villena está en casa?

—Eso no lo sabremos hasta que estemos allí.

Creo que yo fui capaz de dominar mi frenético nerviosismo en todo momento.

Llegamos a la mansión del doctor Villena alrededor de las nueve. No había señales de vida ni en la fachada de la clínica ni en la de la vivienda privada. La calle estaba tranquila y solitaria, y el ruido de los coches no era más que un rumor lejano.

Tal como esperábamos.

O, mejor dicho, tal como yo me temía. Ahora ya no nos quedaba otro remedio que continuar hasta el final de la aventura.

—Ven —le dije a Nines.

Saltamos la verja sin problemas y llegamos a la parte de la casa donde estaba la estrecha y enrejada ventana del garaje. No medía más de cincuenta centímetros de ancho por veinte de alto, estaba a dos metros del suelo y los barrotes parecían muy resistentes.

—Ayúdame a encaramarme —pedí mientras abría la mochila y sacaba la linterna.

—¿Piensas entrar por ese ventanuco tan pequeño? ¡Es imposible!

—Ayúdame a encaramarme.

Hizo un estribo trenzando los dedos de las manos. Encajé en él el pie izquierdo y me icé hasta el ventanuco.

—¡Eh, no pesas nada! —comentó Nines.

—Espera un rato y verás.

A la luz de la linterna, comprobé la ausencia del BMW que el día anterior llenaba el garaje. Localicé la barra metálica que se erguía del suelo con el botón blanco en su extremo superior.

—Bájame, bájame —susurré.

—¿Qué te propones?

No contesté. Nines me parecía más guapa cuando se la veía intrigada, y me parecía que ella me juzgaba más inteligente si no le daba demasiadas explicaciones.

Recogí seis guijarros del suelo, no demasiado grandes. Seis guijarros, porque en la caja que me había regalado la tía Eulalia solo había seis pañuelos. Envolví cada una de las piedras en un pañuelo, formando seis bultos blandos y compactos.

Cuando saqué el Magnum de la mochila, Nines profirió una especie de silbido susurrado.

—Esto es de reglamento, tío —dijo, admirada.

—Ahora, vuelve a izarme a la ventana. —Hablábamos en voz muy baja—. Pero no tienes que moverte nada, ni un pelo, porque tengo que hacer puntería. ¿Vale? Sostenme fuerte.

—Vale —dijo ella, impresionada.

Improvisó de nuevo el estribo con las manos y de nuevo trepé hasta el ventanuco. Ahora llevaba la linterna en la boca y eso me dificultaba la respiración y me provocaba una sombra de náuseas, pero necesitaba las dos manos para disparar con el tirachinas.

Introduje brazos y arma por entre los barrotes, me apoyé en el antepecho y coloqué el primer proyectil en la badana.

—¡No te muevas! —intenté decir. La linterna hizo que me saliera algo así como «bobbuegas».

Tiré de la goma, apunté al botón blanco, contuve el aliento y solté el proyectil.

¡Fzam! ¡Ptac!

El proyectil dio en la barra metálica, por debajo de su objetivo, rebotó y golpeó con fuerza en algún rincón cerca de las escaleras. El envoltorio de tela había amortiguado los impactos.

—¿Ya? —preguntó Nines.

—No, no.

—Empiezas a pesar.

—¡Aguanta!

Segundo disparo. Me daba cuenta de que no podría disparar las seis piedras sin tomarme un respiro, porque Nines se movería más a cada segundo que pasara y a mí pronto me temblarían los brazos. Esto me despertó una impaciencia irracional. Tenía que acertar antes de que nos cansásemos, o ya no lo lograríamos. Mi postura no era la más indicada para hacer de Guillermo Tell.

«Vamos, Flanagan. Ahora o nunca».

¡Fzam! ¡Ptac!

¡Blanco!

Al impacto siguió un instantáneo bufido del sistema neumático poniéndose en marcha y de pronto se movilizaron los engranajes del portón metálico.

¡Ábrete, sésamo!

Salté al suelo. Me quité la linterna de la boca, guardé el Magnum en la mochila. Nines todavía no entendía nada.

—¡Corre, Nines!

—¿Dónde? ¿Por qué? ¿Qué haces?

La cogí de la mano y la arrastré hacia la fachada delantera, donde la puerta del garaje nos flanqueaba el paso generosamente. Nines murmuró una exclamación estupefacta.

Los huérfanos de Nochebuena entraron en la casa en dos zancadas y un minuto después el portón metálico volvía a cerrarse, como la mítica roca de la Cueva de los Cuarenta Ladrones. *Ciérrate, sésamo*, y aquí no ha pasado nada.

—¿Sabrás abrirla después? —preguntó Nines.

—Sí. Vamos.

Precedidos por el haz de luz de mi linterna, subimos las escaleras hasta la puerta que daba a la vivienda. Solo durante un segundo, cuando ponía la mano en el pomo y lo hacía girar, consideré la posibilidad de que estuviera cerrada con llave. No lo estaba. Cruzamos la espaciosa cocina y salimos al suntuoso salón comedor.

Me costó un poco encontrar la formidable sala de música, con piano y busto de Beethoven, pero, una vez allí, en seguida localicé la docena de peldaños que conducían a la clínica.

Los estábamos subiendo cuando algo nos detuvo.

Una luz muy débil titilaba al final del pasillo, cerca del vestíbulo de la clínica. Aproximadamente, donde yo podía calcular que se hallaba el despacho del doctor Villena. Una luz amarillenta, como de velas.

Yo ya lo había notado antes de que Nines me lo hiciera notar clavándome las uñas en el brazo.

Había alguien en el despacho del doctor.

El corazón me iba a cien por hora. De pronto recordé que era allí donde habían matado a Manolo. Muy probablemente, en aquel mismo despacho.

Se oyó una voz cavernosa:

—Manoooooolo...

Nines tuvo que taparse la boca para no chillar. Yo apagué la linterna. Y tuve que cerrar los ojos y repetirme diez veces seguidas «los fantasmas no existen» para no dar media vuelta y salir corriendo de allí.

12

La Clínica de los Horrores

¿**M**e oyes, Manolo? —insistía la voz.

Nines y yo nos miramos. Nuestras expresiones se iban suavizando a medida que comprendíamos que era una persona la que hablaba, una persona viva. Una persona viva de voz femenina.

—¡Manoooolo! —repetía—. ¿Me oyes, Manolo? ¡Contesta con un golpe para decir que «sí» y con dos para decir que «no»!

Bajamos hacia la sala de música para poder encender la linterna y susurrar con tranquilidad.

—Es la enfermera —le expliqué a Nines—. Una loca estudiosa de los fenómenos espiritistas... —Recordé que la había visto leyendo un libro titulado *«EL MÁS ALLÁ ESTÁ AQUÍ»*—. Deben de tenerla como enfermera y como criada. Si Villena utiliza esta casa para actividades clandestinas, cuanto menos gente tenga alrededor, mejor para él.

—¿Y qué hacemos? —preguntó Nines.

—La muy loca se ha metido en la habitación donde mataron a Manolo y está invocando su espíritu... Porque esta noche de Navidad dicen que es una de las más mágicas del año. Tan mágica como la noche de San Juan.

—¿Quieres dejar de decir tonterías, Flanagan? ¡Te he preguntado qué hacemos!

—¡No lo sé! Pero tenemos que lograr que salga del despacho. ¡Sea lo que sea lo que buscamos, tiene que estar en ese despacho!

—Está bien. —En vista de mi atolondramiento, Nines decidió tomar las riendas—. Sube arriba y escóndete en la primera habitación que encuentres. Yo la haré salir.

—¿Cómo?

—¡Confía en mí!

Confié en ella. Llegué al pasillo y me dirigí hacia la primera puerta que vi.

—¡Manolo! —insistía la monomaníaca—. ¡Un golpe para decir que «sí», dos para decir que «no»!

Me metí en un armario muy estrecho. Cerré la puerta y, a la luz de la linterna, descubrí útiles de limpieza, una escalera de mano y, pulcramente colocada en un colgador, una bata blanca que solo podía pertenecer a la enfermera llamada Hortensia.

—¡Contesta, Manolo! —repetía una y otra vez.

Y Manolo contestó.

De pronto, en el piano del piso inferior empezó a sonar una melodía muy dulce, melancólicamente silabeada. Era una pieza clásica, muy conocida, creo que la sonata *Claro de Luna* (de Beethoven, ¿no?, sí, de Beethoven), u otra parecida.

Yo me mordía los puños.

«¡Pero, Nines! ¡Nunca se creerá que Manolo supiera tocar tan bien el piano!».

Me equivocaba, claro: una persona que cree posible hablar con los muertos supongo que es capaz de creer cualquier cosa.

—¿Manolo? ¿Eres tú? —gimió Hortensia después de un largo silencio.

El piano contestó interpretando, ahora en otro estilo, una alegre versión de *La Cucaracha*.

—¿Hay alguien ahí? —temblaba la voz de la enfermera crédula.

Indiferente a la angustia que provocaba, el piano recreaba a continuación la famosísima *Oh, Susana*.

—¡Manolo! ¡Di algo! —le conminaba la mujer—. ¿Me oyes? ¡Un golpe para decir que «sí», dos para decir que «no»! ¿Me oyes, Manolo? ¿Estás aquí, Manolo?

Cesó la música y el espíritu contestó con un golpe, un solo golpe. *¡Bang!* El de la tapa del piano al cerrarse violentamente. Llenó el aire de misteriosos ecos que se fueron diluyendo en el silencio.

—¿Sí? —preguntó en voz muy baja la enfermera—. ¿Eso ha querido decir que sí, Manolo?

¡Bomm!, otro golpe. Esta vez retumbó por toda la casa, como si Nines hubiera alzado un sofá por encima de su cabeza y lo hubiera dejado caer a plomo.

—¿Eres Manolo?

Otra vez el estrépito que hacía estremecer las paredes. *¡Bomm!* era una afirmación indudable.

—¿Estás muy enfadado conmigo, Manolo? —preguntaba la invocadora con un hilo de voz.

¡Bomm! ¡Pues vaya si lo estaba!

—¡No te enfades, Manolo! ¡No te confundas! ¡Yo no te estaba sujetando mientras el doctor Villena te apuñalaba! ¡Quiero que esto quede claro! ¡Tal vez te dio la impresión de que te sujetaba, pero no era así! Es que..., es que me pareció que te caías y quise cogerte para que no te hicieras daño, ¿entiendes? —Le respondió un silencio ominoso, uno de esos silencios incrédulos que ponen en evidencia a los mentirosos—. ¿Me crees, Manolo? —Manolo no contestaba—. ¿Me crees, Manolo?

En algún lugar de la casa estalló a toda potencia un villancico. Un coro de niños insensatos aullaba «Pero mira cómo beben los peces en el río» al ritmo de las panderetas y de las zambombas. Y no parecía que hubiera nada capaz de detenerlos. Hortensia se había quedado muda y yo, en el armario, helado. Cuando acabó el villancico, un conocido locutor de Radio Nacional deseó felices fiestas a los oyentes y nos prometió una sorpresa. Se trataba de otro villancico, pero esta vez interpretado ni más ni menos que por *Bruce Springsteen & The E Street Band*. Se titulaba *Merry Christmas Baby*. Clamor de público, batería y la voz ronca de Bruce.

La enfermera venía caminando lentamente por el pasillo. Contuve el aliento.

—Por el amor de Dios, Manolo... —decía—. Baja eso, que lo oirán los vecinos... Que pensarán que he montado un sarao... Que se lo contarán a los señores.

Pasó de largo ante la puerta del armario en el que me escondía y la oí bajar los peldaños, en dirección al concierto de Bruce Springsteen.

Tenía que confiar en que Nines sabría entretenerla en el piso inferior. Me llené de aire los pulmones, tomando impulso, abrí la puerta y salí al pasillo.

La puerta del despacho del doctor Villena estaba abierta, iluminada por la vacilante luz de la vela.

Corrí de puntillas hasta allí.

La mesa del doctor estaba cubierta por una especie de mantón de Manila y, encima, había dos velas negras, un libro abierto y una baraja de tarot distribuida en pequeñas pilas. Todo lo que debería haber estado sobre el escritorio se encontraba amontonado sobre el mueble de archivo. Aparte de los pisapapeles, de la carpeta de piel y de la lámpara de mesa, había un montón de sobres y cartulinas.

Para contribuir de alguna forma a la tarea de Nines, tiré el libro, las velas, el mantón y los naipes al pasillo.

De la cerradura colgaba un manojo de llaves. Las cogí y cerré la puerta. Hice un barrido con la linterna y descubrí que la puerta corredera que comunicaba con el gabinete, la que estaba cerrada cuando hablé allí con Villena, ahora estaba abierta. Allí era todo blanco: paredes con azulejos, una pila para lavarse las manos, un extraño sillón, más sorprendente que el de un dentista, y una vitrina llena de instrumental que, curiosamente, tenía todos los cristales rotos. Me costó poco imaginar la pelea de Villena con Manolo, cómo fueron a estrellarse los dos contra el mueble, cómo cayeron por el suelo multitud de objetos cortantes.

Mi objetivo, no obstante, era el mueble de archivo. Y no podía perder tiempo. Me fui hacia allí y, con dedos torpes, empecé a probar las llaves en la cerradura.

No había muchas de aquel tamaño. No me costó nada encontrar la que abría. Tiré del primer cajón...

... Y abajo la música paró en seco.

Yo también congelé mis movimientos. Respiraba por la boca, escuchando atentamente. Más que respirar, jadeaba.

Abajo, se oía la voz de Hortensia, diciendo no-sé-qué. Y dos golpes fortísimos, ¡*Bomm*! ¡*Bomm*!, que significaban que no.

—¿No...? —preguntaba la enfermera.

El archivo tenía tres cajones. Uno abarcaba las letras de la A a la Hache; el segundo, de la I a la O; el tercero, de la Pe a la Zeta. Al ver la cantidad de carpetas amarillas que llenaban el primer cajón, me desanimé. ¿Qué estaba buscando?

Y, una vez que lo supiera, ¿cómo podría reconocer lo que buscaba?

Hurgué en la primera carpeta. Correspondía a ALCÓN, Mónica. Había hojas manuscritas, informes de análisis, ecografías. Nada que me aclarase nada. Otra carpeta. ALGARRAS, Nieves. Hojas manuscritas, informes de análisis, ecografías. Otra. BALDAT, Águeda. Hojas manuscritas, informes de análisis, ecografías.

Temblando como una hoja sacudida por el viento, convencido de que no había servido de nada que nos metiéramos allí, me apoyé en el mueble, tratando de reflexionar, de encontrar un sentido a mi presencia en aquel despacho.

Entonces, me fijé en los sobres y las cartulinas. En las cartulinas, de color salmón, se leía: «El doctor Arturo Villena Palou y Sra. saludan al Sr. *(puntos suspensivos)* y tienen el gusto de invitarle a la fiesta de Año Nuevo que celebrarán en...».

Pensé que aquel descubrimiento era importante, aunque no podría haber dicho por qué. Me limité a registrarlo en algún lugar de mi cerebro y dediqué de nuevo mi atención a las carpetas amarillas.

En el piso inferior continuaban los golpes y las preguntas ininteligibles de Hortensia.

BARGABARTÍ, María. Hojas mecanografiadas.

Y nada más. Ni análisis ni ecografías.

Pensé: «Claro. Si solo *finges* que una mujer ha tenido un hijo, no necesitan para nada ni análisis ni ecografías, ni ningún tipo de seguimiento médico».

Saqué la hoja mecanografiada. Era muy escueta. La llamada María Bargabartí había sido asistida durante su embarazo por el doctor Villena. El parto se había producido en su propio domicilio. Ninguna incidencia significativa. Palabras técnicas por un tubo. Firmado: doctor Villena. Y, al pie, escrita a lápiz, la palabra «mármol», otra fecha y otras iniciales.

Quizá no resultaba demasiado significativo, pero yo le di un significado, tal vez porque necesitaba encontrar algo. El caso es que cogí un sobre de los que había encima del mueble y copié en él los datos de la tal María Bargabartí. Y luego busqué directamente la próxima carpeta en la que hubiera una hoja mecanografiada.

Brunet, Silvia. Anoté la fecha del supuesto nacimiento (¡también en su domicilio!), el sexo del supuesto bebé y la otra fecha que, al pie, también subrayaba la palabra «mármol».

Buscaba la tercera cuando sonaron pasos precipitados en el pasillo. ¡Alguien se acercaba!

Saqué las llaves de la cerradura del archivador, me precipité hacia la puerta y la cerré con la llave en el mismo momento en que Hortensia movía el pomo para abrirla.

No pudo. Forcejeó. Aporreó la puerta con los puños. Gritó:

—¡Manolo! ¡No te enfades conmigo!

¡Jope! ¿Qué hacía Nines, que había dejado que se le escapara?

—¡Manolo! ¡Di! ¿Qué se ha hecho de la bata si el doctor Villena no la ha quemado? ¿Dónde está ahora? ¿Por qué no la quemó?

Como respuesta, el espíritu le dedicó un nuevo villancico, ahora interpretado por los *U-2 (Christmas-Baby Please Come Home)*, que, procedente del piso inferior, se apoderó de toda la casa.

Hortensia exclamó: «Oh, Dios mío», y echó a correr para parar el estrépito.

Yo me dediqué a tomar notas de todas las pacientes del doctor Villena que solo tenían una hoja en su carpeta. El trabajo era lo bastante mecánico como para poder pensar, al mismo tiempo, en otras cosas. Las invitaciones al *reveillón* de fin de año, por ejemplo. O la bata que el doctor Villena tenía que quemar.

En un momento dado, no obstante, al tomar los datos de una supuesta madre apellidada GARBOSA, Gloria, tuve la sensación de que ya no tenía que buscar más. Afirmaba que su hijo, varón, había nacido el 16 de diciembre. Manolo había vendido a su hijo Jose hacía una semana. Y al pie, bajo el «mármol», constaba la fecha del 28 de octubre. Jose, el hijo de Feli, había nacido a finales de octubre.

O mucho me equivocaba, o lo había encontrado. Había encontrado a Jose. No hacía falta perder más tiempo.

Pero aún no me decidía a salir. Tenía otra cosa que hacer. ¿Qué era?

Las invitaciones. Cogí un puñado y me las guardé en el bolsillo de la chaqueta.

Saqué las llaves de la puerta, cerré el mueble de archivo. La bata de la enfermera me daba vueltas por la cabeza. La recordé, tan escotada y exhibicionista cuando le abrió la puerta a Manolo, y con aquella otra bata, cerrada hasta el cuello con una larga cremallera, cuando abrió a la pareja inoportuna, *después de la muerte de Manolo*. Recordé lo que la propia Hortensia había dicho no hacía mucho, y la imaginé en aquel mismo despacho, sujetando a Manolo mientras el doctor Villena le apuñalaba. Abrí la puerta, eché una prudente ojeada hacia el fondo del pasillo y salí corriendo.

—¡Sí, Manolo! —gritaba, abajo, Hortensia—. ¡Haré penitencia!

Quedaba una última cosa. Me metí en el armario donde antes había estado escondido. Comprobé la talla de la bata allí guardada. Memoricé el número y me fui hacia abajo.

La enfermera estaba en el centro del gran salón de la casa, vestida de criada, de rodillas y con la frente clavada al suelo.

—¡Haré penitencia! —repetía—. ¡Haré penitencia!

¿Y Nines? Ya no había nada que me impidiera marcharme, pero ¿dónde se había metido Nines? No podía gritar para localizarla.

Buscándola, abrí una puerta y me encontré en una gran habitación bañada por la luz azulada de la luna que entraba por un gran ventanal. Era una especie de museo de cerámica. Había jarrones, figuritas, platos y azulejos por todas partes: en anaqueles, en mesas, mesitas y peanas. Y aquel también fue un dato importante que archivé en la memoria.

Tomé un jarrón de caño ancho, me lo puse cerca de la boca, como un megáfono, y grité, con voz de ultratumba, con un acento andaluz que recordaba un poco al de Manolo:

—¡*Tá* bien, *Hortenzia*! ¡Ya te he *perdonao*! —Tuve que repetirlo porque, al oírme, la enfermera emitió un chillido ensordecedor y empezó a revolcarse por el suelo—. ¡Ya te he *perdonao*! Sube al lugar donde me fui de este mundo... Y no le digas a nadie que he *estao* aquí. Es un secreto entre tú y yo...

Hortensia se había ido incorporando. Osó preguntar, tímidamente:

—Pero a mí me interesaba saber... si la bata...

—¡Que subas! —grité.

Pegó un salto y salió corriendo hacia el piso superior.

Inmediatamente, Nines salió de su escondite. Estaba guapísima. Le brillaban los ojos de excitación, tenía las mejillas encendidas, sonreía triunfal y orgullosa de sí misma. Me habría gustado darle un beso. Diez. Cien. Pero no era el momento. Corrimos a la puerta de la cocina. Bajamos los peldaños que llevaban al garaje. Apreté el botón blanco, los engranajes del portón metálico se pusieron en acción: *¡Ábrete, sésamo!*, y salimos a escape a la calle.

13

Dos hacen una pareja, tres una multitud

Los huérfanos de Nochebuena siguieron corriendo hasta el lugar donde habían dejado la moto. —¿Con qué dabas golpes, que hacían tanto ruido? —pregunté a la huérfana.

—¿Yo? —hizo ella—. ¡Yo no he dado ningún golpe!

Nos entró un ataque de risa que por poco nos hace doblar las rodillas.

—Y tú, ¿por qué has cogido esto? —Se refería al jarrón de cerámica que yo conservaba en las manos—. A eso se le llama robar, ¿sabes?

—No, a eso se le llama jarrón —la corregí mientras introducía el botín en la mochila. Y volvimos a reír, liberando toda la energía que dentro de la casa nos había tenido agarrotados y jadeantes. Después agregué—: Estoy teniendo una idea. Ya te la explicaré cuando la acabe de tener.

Cabalgamos hacia el centro de la ciudad en la Honda Vision.

Yo era feliz. Era un héroe y me dejaba llevar por mi compañera a donde ella quisiera llevarme.

Al principio, creí que circulaba a la deriva, sin ningún destino concreto. Después, al ver que llegábamos a la plaza de España y que Nines tomaba la autovía de Castelldefels, me di cuenta de que teníamos un destino muy preciso.

—¿Dónde vamos? —pregunté, un poco angustiado, tal vez por el hecho de estar alejándome demasiado de casa, tal vez por todas las responsabilidades que contrae el que se deja secuestrar.

O no me oyó, debido al casco integral que la convertía en una extraterrestre de andar por casa, o había que suponer que me tenía reservada una sorpresa.

Nos sumergimos en las tinieblas de una noche que parecía más solitaria que ninguna otra del año. En un semáforo que, desesperado, nos guiñaba el ojo como si pidiera socorro, giramos a la izquierda y nos introdujimos por las calles solitarias de un pueblo ignoto, en dirección a la playa.

Allá, ante el mar negro bajo la luna creciente, mar visible solo gracias a las crestas blancas de las olas, encontramos una casa con jardín, rodeada por un sinnúmero de motos de todas clases y llena de música y de huérfanos de la noche de Navidad.

Nunca hubiera imaginado que fuéramos tantos los que pertenecíamos a esta especie.

Supuse que en este fenómeno influía el hecho de que en Cataluña se celebre más la comida del día de Navidad que la cena de la víspera. Pero no era esta la única explicación.

—Es que pasamos de Navidad —me dijo Nines mientras aseguraba el casco de la Honda con una gruesa cadena (y dijo «pasamos», sin excluirse)—. Estas fiestas son una lata, ¿no te parece?

Aquello tampoco lo acababa de entender. Más tarde tuve la ocasión de explicarme la razón de que allí hubiera tantos jóvenes celebrando la Nochebuena sin padres.

Estaba el hijo de padres recién separados, que había preferido no tener que elegir con quién pasaría la fiesta. Había dicho: «Hacemos un sarao, con unos amigos», y ni el padre ni la madre le habían puesto ninguna objeción, porque los dos querían tenerle contento y demostrarle que, a pesar de todo, a pesar del divorcio, eran unos padres formidables.

Estaba también el hijo de padres esquiadores, como Nines, o simplemente viajeros, que no habían podido reprimir el impulso de subir al avión, coche, tren o barco, después de decirle al hijo: «¿Vienes o te quedas?». «Es que tengo una fiesta con los amigos», había dicho él, mientras el avión, el coche, el tren o el barco se alejaban dejándole la duda de si habrían oído o no su excusa. De si les habría parecido válida o no.

Estaba el hijo que había impuesto la autoridad a sus padres, dictador que siempre hacía lo que quería y al que nadie podía obligarle a hacer algo que él no quisiera hacer. «Voy a una fiesta», y eso no significaba que pidiera permiso. Sencillamente, lo decía por si acaso había alguien interesado en saberlo.

Había muchos hijos de padres que no sentían ninguna curiosidad por saber dónde estaban sus hijos.

Y todo ello hacía que por encima de la fiesta planeara una especie de negro nubarrón de tristeza.

La música atronaba a toda potencia (temas e intérpretes tan recientes que yo nunca había oído hablar de ellos), corrían las cervezas y los cubatas y el whisky de marca mucho más que los turrones, y los chicos se reían fuerte y hacían locuras, y las chicas los admiraban con aquella actitud tan suya de «qué jetas», pero el ambiente era frío, y parecía que a la atmósfera le faltara oxígeno.

—Nines... —dije antes de entrar.

Se volvió hacia mí como si me hubiera disfrazado de húsar y estuviera a punto de solicitarle el honor del próximo vals. Me temo que la frustré:

—No hace falta que les expliques lo que hemos hecho.

—Claro que no —dijo, desconcertada.

—En todo caso, más adelante, cuando hayamos triunfado, ¿de acuerdo?

—De acuerdo.

Nos recibieron con exagerados gritos de bienvenida:

—¡Eh, mirad quién viene!

—¡Eh, si es la Nines!

—¡Ey, Nines! ¿Cómo llegas tan tarde?

Intimidado por las efusiones, quise preservar mi intimidad conspirando con Nines. Le expuse el plan que acababa de improvisar, durante el viaje.

—... Necesito que convenzas a los Rocafort de que nos ayuden. Si ellos colaboran, la policía nos hará caso y podremos ligarlo todo...

Pero ella no estaba muy pendiente de mí. Miraba aquí y allá, saludaba a toda persona saludable que se le pusiera al alcance e interrumpía mi discurso con comentarios del estilo de «¿quieres ginebra en la naranjada?» o «prueba estos canapés, están buenísimos».

—... ¿Oyes lo que te digo?

—Claro, claro.

—Pues también tendrías que encargarte de enviar estas invitaciones a la gente que te diré, mira, a la gente de esta lista...

—Que sí, que sí.

Entonces se nos acercó un tío que ceceaba y que, a juzgar por su expresión, estaba convencido de ser el gracioso de la pandilla.

—¿Este es tu amigo detective? —preguntó, burlón.

—¡Claro que sí! —exclamó Nines, súbitamente animada—. Si ya os lo he presentado antes...

Era verdad, pero antes, por lo que se ve, la gente tenía otras cosas que hacer. Ahora, en cambio, me convertí en el centro de la fiesta. Nines me exhibía diciendo: «Mi amigo Flanagan», en un tono que me pareció cargado de cierta ironía, y sacó mi supertirachinas de la mochila exclamando: «Mirad, mirad su Magnum». Unos cuantos chicos, mayores que yo, me pidieron que les hiciera una demostración de puntería y, al cabo de un rato, se apropiaron de mi arma y se olvidaron de mí, del mismo modo que Nines se había olvidado de mí entre tanto, y de repente habían puesto lentos y la vi a lo lejos, al otro extremo de la sala, bailando abandonada en brazos de un grandullón de cabello tan rubio que parecía teñido (y probablemente lo era).

Cuando me dirigí a la larga mesa montada entre dos caballetes, para agenciarme un bocata y una limonada, se me acercó un chico que no tendría más de dieciséis años y que parecía amargado por un exceso de experiencias. Empuñaba un vaso con líquido y cubitos y se le cerraban los ojos. Me dijo:

—De modo que eres detective, ¿eh?

—Sí —contesté. Me hubiera gustado continuar la conversación, aunque solo fuera para distraerme un poco, pero no sabía cómo hacerlo. De todas formas, él no me dio la oportunidad:

—Flanagan —dijo, como quien escupe, como si fuera la palabra más despreciable, el taco más ridículo del mun-

153

do—. Podrías haberte buscado un nombre más original, ¿no?

Y se alejó arrastrando los pies, dejándome plantado, abrumado por la ignominia.

Traté de entablar conversación con otro.

—¿A qué te dedicas? —le pregunté, tan simpático como fui capaz.

—Ya lo ves —dijo, aburrido de la vida—. Me emborracho rodeado de imbéciles.

En ese caso, fui yo quien se alejó. En un rincón, hice un esfuerzo por comprender a aquellos limitados anfitriones. Tal vez estaban enamorados, o sufrían violentos ataques de adolescencia (que es una de las peores enfermedades que conozco). O tal vez era que habían visto demasiadas películas de Bogart y confundían el ingenio con la grosería y la impavidez con la estupidez. O quién sabe si solo eran tímidos y no sabían relacionarse con los demás. Fuera como fuese, no hacía falta emborracharse para estar rodeado de imbéciles (yo bebía limonada) y, basándome en el principio de que no éramos parientes y de que probablemente no lo seríamos nunca, los mandé a todos al cuerno y me concentré en olvidarlos.

A quien no podía olvidar de ninguna manera era a Nines, traidora, frívola, veleidosa, que seguía coqueteando con este y aquel, muy risueña y desenfadada, ahora marcándose una samba como si el ritmo la arrastrara contra su voluntad, o pegándose como una garrapata al grandullón del pelo rubio teñido. Sabía que aquel pijo era Ricardoalfonso antes de que me lo confirmaran.

—¿Aquel grandullón es Ricardoalfonso?

—Sí —me contestó una chica, moviendo enérgicamente la cabeza arriba y abajo.

—Lo sabía.

La chica seguía moviendo la cabeza arriba y abajo, cosa que me sorprendió, por lo insistente, hasta que comprendí que estaba siguiendo el ritmo de la música, *chunda, chunda, chunda,* aprobando decididamente el estilo de los músicos de turno.

Añoré la alegría de Carmen. Me perdí en un rincón, repasando la operación Año Nuevo, que iba adquiriendo volumen en mi cabeza, y tarareando el tema de *Caballo Viejo,* rebañando la memoria para concretar el estribillo: «Cuando el amor llega así, llega así, de esta manera...».

Tenían motos, tenían pasta, tenían una casa con jardín para ellos solos y quilómetros y quilómetros de playa, allí, a su alcance, y tenían libertad y Benetton, DKNY, Reebok, Lacoste, Privata, Diesel y todas las marcas que los anuncios dicen que hacen feliz y guapa a la gente. Pero no me daban envidia. No me parecían nada felices. Quizá me provocaban una cierta pena. Un poco de rechazo. Me entraron ganas de huir de allí cuanto antes mejor. Os parecerá extraño, infantil, impropio de un detective comprometido en violentas aventuras, pero decidí volver a casita, me tranquilizó saber que tenía unos padres como los que tenía.

Me sentí cobarde, como si estuviera huyendo de la verdad de la vida, pero era superior a mis fuerzas. No sabía cómo me las apañaría para llegar a casa, pero no me importaba. Haría dedo. Andaría, si no había otro remedio. Recuperé el tirachinas, «lo siento», y me acerqué a donde Nines estaba charlando animadamente, demasiado vivaz, demasiado risueña, demasiado animada. Me dio la impresión de que estaba representando un papel y de que yo era su público. ¿Qué podía estar explicando? ¿La aventura que habíamos vivido juntos en la Clínica de los Horrores? ¿Y por qué me dejaba de lado? ¿Acaso no había sido tan protagonista como ella, si no más? Se me ocurrió que yo también ocultaba el nombre de Carmen cuando le contaba determinadas aventuras a Nines, y esta ocurrencia acrecentó mis ganas de irme de allí.

—Bueno, Nines, yo me voy.

—*Ah,* Flanagan. ¿Qué tal te lo estás pasando? ¿Bien?

—¿Podemos hablar un momento? Es que me voy.

—No, hombre, no puedes irte ahora. Mira. Te presento a Ricardoalfonso.

—Lo sabía.

—¿Cómo?

—Que me voy.

—¿Pero cómo puedes irte ahora, cuando...?

—¿Sigues interesada en ayudarme, Nines? —la corté, haciéndole notar mi impaciencia.

—¡Claro! —dijo, disgustada por la interrupción.

—Entonces ven.

Di media vuelta y me alejé de Ricardoalfonso, buscando un rincón apartado. Cuando Nines se reunió conmigo, no le di la oportunidad de explicaciones superfluas. Yendo al grano, extraje del bolsillo el puñado de invitaciones de que me había apropiado, reservé unas cuantas para mí (en previsión de cualquier imprevisto) y entregué el resto a Nines.

—Hay que enviar estas invitaciones —dije, y le di también la lista de personas sospechosas de haber adoptado niños de forma irregular— a estas personas.

En tono neutro y profesional, ignorando su mirada profunda, le proporcioné toda la información necesaria para que se ocupara de la parte del plan que le correspondía a ella. Le razoné mis sospechas de que el hijo de Feli había sido adoptado por aquella mujer llamada Gloria Garbosa, le insistí en la necesidad de hablar con los señores Rocafort, para convencerlos de que intercediesen por nosotros ante la policía.

—¿De acuerdo? —dije al acabar.

—De acuerdo —dijo ella, sin dejar de mirarme.

—Entonces, adiós. Ha sido una noche muy divertida.

Crucé el jardín, en dirección a la calle, tratando de aparentar una naturalidad tan ficticia como la suya. Nines me siguió, tal como yo esperaba.

—¡Espera, Flanagan, te acompaño!

—No. No hace falta.

—¿Qué quieres decir con eso? ¿Qué te pasa? ¿Cómo piensas llegar a tu barrio? ¿A pie? ¿Sabes cuántos quilómetros hay hasta allí?

—No quiero estorbarte. —Miré a Ricardoalfonso que nos observaba de lejos.

—¿Estás enfadado? —se sorprendió ella.

—No.

«Qué cosas tienes».

—¿Estás celoso? —Sonrió, encantada.

—¡No!

«¡Venga, ya está bien de esta cantinela, ya hemos hecho bastante el ridículo, a tomar viento!».

Yo quería irme y ella me retenía tan solo con su mirada. Me observaba intensamente y el color tabaco rubio de sus ojos se me subía a la cabeza y me inmovilizaba.

Supuse que eso era lo que pasaba cuando uno se enamoraba (*Cuando el amor viene así...*). Una fuerza externa, contradictoria, insuperable, que te hace actuar contra toda voluntad y contra toda lógica. (*¡... Viene así, de esta manera!*). Hacía apenas un momento pensaba que Nines no tenía ningún sentido en mi vida y de pronto me daba cuenta de que nunca, nunca, nunca, podría vivir sin ella. (*¡Cuando el amor viene así, viene así, de esta manera!*). Tenía la imperiosa necesidad de acariciarle las mejillas y de besarla en la boca, pero no lo hice (*Cuando el amor...*), y experimentaba una confusa mezcla de ganas de reír y de llorar y de huir (*... viene así...*), *y supongo* que a este comportamiento estúpido también se le llama estar enamorado (*¡viene así, de esta manera!*).

—De acuerdo —dijo, poniéndose el casco y demostrándome que había escuchado todo lo que le había dicho y que estaba dispuesta a que siguiéramos trabajando juntos—. Enviaré las invitaciones para la fiesta del doctor Villena. Me pondré en contacto con los Rocafort y les convenceré de que hablen con la policía... ¿Qué más?

—Diles a los Rocafort que recuperaré su brazalete —aseguré, envalentonado.

Para redondear la euforia del momento, Ricardoalfonso llegó hasta nosotros con aire de desesperación.

—¿Qué haces, Nines? ¿Te vas?

—Tengo que acompañar a mi socio. Aún tenemos trabajo.

«¡Aguanta, Rubiales!», pensé yo, mientras le dedicaba una sonrisa insultante a mi rival.

Nos internamos con la moto en la noche tenebrosa, recorrimos laberintos de calles de veraneo, recorrimos la autovía de Castelldefels bajo semáforos que seguían parpadeando inútiles y solitarios. Yo me agarraba a Nines para no caer, abrazado a su cintura, juntando las manos por debajo de sus pechos, y esto me producía una sensación muy cercana al súmmum de la felicidad. Atravesamos la ciudad vacía de coches y de ruidos, poblada únicamente por la gente que salía de la Misa del Gallo. Pasamos bajo el derroche de luces de colores navideñas, y por calles oscuras de empedrado desigual...

... Y, cuando nos acercamos al barrio, tuve una intuición funesta.

Pensé que el mío era un barrio peligroso. Está bien para alguien como yo, pero no para una muchachita de casa bien como Nines. En mi barrio había delincuentes, drogadictos, gentuza como Manolo Molinero (que en paz descanse) capaz incluso de vender a su propio hijo. En mi barrio, incluso hay energúmenos aficionados a romper brazos. Creo que, por primera vez en mi vida, tuve miedo de entrar en mi barrio. Hubiera preferido no vivir allí.

—¡Espera! ¡Para!

Nines no me hizo caso.

—¡Espera! ¡Para! ¡Déjame aquí!

—¿Por qué? —preguntó, amordazada por el casco.

—¡Ya vale! ¡Puedo seguir a pie!

—¡No digas tonterías!

—¡No es necesario que me lleves hasta la puerta de mi casa! ¿Por quién me has tomado? ¿Por Cenicienta?

—¡Servicio puerta a puerta! ¡Es mi lema!

No hubo manera de evitar el desastre. La Honda Vision se detuvo delante mismo de la persiana del bar de mis padres. Como me temía, había una figura escondida entre las sombras de mi portal. Unos ojos que me miraban fijamente. Bajé de la moto, quise despedirme precipitadamente.

—¡Bueno, pues adiós, ya nos llamaremos...!

—Espera... ¿Dónde vas tan de prisa? ¿No me das un beso?

Nines se había quitado el casco. Los ojos color tabaco rubio y la sonrisa adulta me marearon un poco. Nines me había puesto las manos en la nuca y me ofrecía los labios que yo tanto había deseado momentos antes. Y yo me quería fundir, quería que se me tragase la tierra, quería aullar y convertirme en un hombre lobo. Aparté la cara. Nines me miró muy sorprendida.

Y Carmen chilló, desde la oscuridad de mi portal:

—¡Bésala! ¡Bésala, Juan! ¡No te prives! ¡Siento mucho haber estado esperando para estropearte la noche!

Me volví hacia ella. Como había intuido, se había escabullido de su casa con la intención de celebrar la Nochebuena conmigo. Me encaré a su mirada rabiosa.

—¡Ah, hola, no te había visto! —exclamé como un imbécil. Y corrí hacía ella.

—¡No te acerques! —El llanto de Carmen estalló contra su voluntad, con un exabrupto desmedido. Y, muerta de vergüenza, echó a correr, alejándose de mí.

—¡Flanagan! —exclamó Nines.

Interrumpí mi conversación para volver al lado de Nines, que me miraba estupefacta y decepcionada. «Es mi prima», pensaba decirle. «No se lo creerá».

—¡Flanagan! *¡Llevaba un vestido mío!*

—¿Ah, sí? —hice. Y, aceptando la evidencia—: ¡Ah, sí!

—¡Por eso no querías que te acompañara hasta aquí!

—Es mi... mi... Le he... ah...

—¡Tenías prisa por estar con tu novia!

—¡No!

—*¿Por quién me has tomado?* —me parodiaba—. *¿Por Cenicienta?* ¡Casanova, eso es lo que eres!

—¡Es mi hermana!

—¡Flanagan! ¡No te enrolles! ¡No seas niño! ¡Me alegro mucho de haberte ayudado a ligar regalándote mis vestidos viejos para que tú los pudieras regalar a tus admiradoras del barrio!

—Nines...

Ocultó su expresión intransigente bajo la máscara del casco, acalló mis protestas con el petardeo de la Honda Vision, esquivó mi acercamiento alejándose a toda velocidad, dejándome plantado en medio de la calle.

—Pero... —decía yo mecánicamente, buscando aún una explicación—. Pero, pero, pero...

Solo. Allí plantado, en medio de la calle.

En plena Nochebuena.

Feliz Navidad, Flanagan. Es dura la vida del crápula.

14

Negocios con un trilero

Ya sabéis lo que hizo la zorra cuando vio que no podía alcanzar las uvas, ¿verdad? Dijo que estaban verdes.

Vuestro amigo Flanagan hizo lo mismo aquella inolvidable Nochebuena, cuando Carmen se fue corriendo por un lado y Nines tomó el dos por el otro. Me dije que todas las chicas eran unas histéricas, y unas seductoras irresponsables, unas criajas sin dos dedos de frente. Estaban verdes. ¡Y yo...! ¡Yo sí que estaba verde!

«Pero ¿qué te creías, Juan? ¿De qué vas? ¿Qué pretendías hacer a tus casi quince años (¡di la verdad, Juan, no seas ridículo!)? ¿Qué pretendías? ¿Casarte, fundar una familia, tener hijos y educarlos con tu sueldo de detective privado? ¡No me hagas reír!».

No obstante, estas imprecaciones no sirven para consolar un corazón destrozado (ponedle música), y tengo que reconocer que aquella noche sufrí un sueño inquieto, cargado de tristeza, de desesperanza y de desaliento.

Decidí que no volvería a ver a ninguna de las dos chicas y que archivaría aquel maldito caso, que solo me traía problemas sin compensarme con ninguna satisfacción. Y decidí también que, si la vida tenía que ser así, llena de contrariedades como aquellas, mis padres, al parirme, me habían metido en una trampa mucho más grave de lo que yo me temía.

Después llegó la entrañable y típica celebración.

El día de Navidad, en casa, es fiesta grande, aunque a muchos les pueda parecer que no hacemos nada del otro mundo. Había aquellos polvorientos adornos que yo mismo había colgado el viernes, y mi madre hacía canelones y pavo con ciruelas, y bebíamos champán, que un día es un día, y dejábamos que se alargara la sobremesa sin prisas. Era una de las pocas ocasiones anuales en que comíamos juntos mis padres, Pili, yo y un tío, hermano de mi padre, soltero y taxista, que a sus cuarenta y tantos años se presentaba siempre con una novia diferente. Aquel día, el bar no abría hasta media tarde, y mi padre se ponía solemne y, con ojos enrojecidos, nos decía a Pili y a mí que teníamos que huir del barrio tan pronto como nos hiciéramos mayores, que en un barrio como aquel no había futuro. Y nos besábamos y en seguida le entraban prisas por abrir el negocio y entregarse, de nuevo y para siempre, a sus clientes.

Aquel año yo estaba proclive a la melancolía y me emocioné mucho con el discurso de mi padre. Pensé que, comparado con todos los padres que había conocido últimamente (los que vendían los hijos, como Manolo Molinero, y los que se desentendían de todos los huérfanos de Nochebuena), mi padre era espléndido. Se lo dije.

—Papá, quiero decirte una cosa —anuncié, poniéndome en pie—. Eres espléndido. ¡Eres el mejor de los padres que he conocido!

Todos nos emocionamos mucho.

—Te estás haciendo mayor —me dijo papá, como si eso fuera una amenaza.

—Ya lo sé —respondí con un suspiro.

—Te estás haciendo *definitivamente* mayor —insistió en su terrible amenaza.

Y pasé toda la tarde ayudándolos en el bar, porque no tenía ganas de darle más vueltas al caso del doctor Villena. De buena gana lo habría olvidado..., si no hubiera de por medio tantas promesas pendientes (devolverle el hijo a Feli, el brazalete robado a los Rocafort)..., si no merodeara por el barrio un matón dispuesto a romperme el brazo.

A media tarde, Pili me trajo un recado de María Gual, recordándome que tenía otros problemas, aparte de los que me provocaban Feli, Jose, el doctor Villena y la enfermera espiritista. Charcheneguer estaba *a punto* de rematar su obra epistolar dedicada a Sabrina, y se la entregaría al día siguiente, en el instituto, donde se jugaban las finales de la competición de baloncesto.

Por la noche, mi hermana me vino a ver a mi habitación.

—¿Te pasa algo? Te veo preocupado.

—Nada. Estoy maquinando un plan.

—¿Para ligarte a Carmen Ruano...?

—¡No! —protesté enérgicamente—. ¿Qué te hace pensar que...?

—¿... O a la pija de ayer...?

—No, no, no. ¡Mi plan no tiene nada que ver con estas memas! Estoy trabajando en serio. Un asunto de compraventa de bebés, el robo de un brazalete de rubíes, un asesinato, cosas así. No tengo tiempo para tonterías... ¡Y no la llames pija!

—Vale, vale. ¿Me explicas tu plan? ¿Puedo ayudarte?

—Como quieras.

Se lo expliqué. Era una maquinación muy complicada y era preciso repasarla bien para asegurarme de que no me pasaba inadvertido algún fallo.

A Pili le gustó mucho. Le pareció un plan perfecto y lo aplaudió y lo elogió con insistencia generosa. Pilastra sabe cómo levantarme la moral. Lo hizo tan bien que al día siguiente, San Esteban, decidí volver al trabajo. No podía obsesionarme por el simple hecho de que dos chicas sin entrañas le hubiesen quitado todo el sentido a mi vida.

No obstante, no me las podía quitar de la cabeza... Mientras me vestía para mi próxima actuación, camisa a cuadros, cazadora de cuero, tejanos, zapatillas de deporte y el paliacate al cuello, y mientras envolvía el jarrón del doctor Villena en papel de periódico, y mientras me trasladaba en metro hacia la plaza de Cataluña, no pude dejar de pensar en la reacción dolida, llorosa y colérica de Carmen y en el desprecio infinito que había brillado en los ojos de color tabaco rubio de Nines. Ni siquiera la perspectiva de que, camino del metro, se me pudiera venir encima la maldición del Rompebrazos sirvió para desviar en lo más mínimo mis pensamientos.

Yo ya trataba de concentrarme en cosas serias («*Una bestia enloquecida que no ha dudado en comerciar con bebés, en asesinar a Manolo Molinero, en romperle un brazo a Feli, corre por el barrio, y ese monstruo insensato está buscando a un tal Flanagan, un chaval que juega a detectives... ¿Y sabes por qué le busca?...*»), pero me resultaba facilísimo despreocuparme de ellas con un encogimiento de hombros («*Bueno, no importa, ya veremos, ya improvisaremos cuando llegue el momento...*»). En seguida me venía a la mente la imagen de Carmen o de Nines, una corriendo en una dirección, la otra perdiéndose en la oscuridad en su moto, y se me instalaba la angustia en el pecho y me atribulaba pensando si no debería haber llamado a una o a la otra, o a las dos, y qué tendría que haber dicho, en caso de haber llamado. «Carmen, todo fue una lamentable confusión...». «Nines, todo fue un lamentable error...». «¡Ja, ja, ja!». ¿Pero es que no sabéis aceptar una broma?». ¿Sabían mis enemigos que yo sabía que habían asesinado a Manolo? Si lo sabían, ¿pensaban que yo sabía que lo sabían o creían que no sabía que lo sabían y, por tanto, confiaban en cogerme por sorpresa? Me daba igual. Me parecía un galimatías incomprensible. No había nada más trascendental en el mundo ni en mi vida que saber si podría volver a besar los labios de Carmen y/o de Nines.

Llegué a la plaza de Cataluña. El ladrón que me había engañado no estaba en la Corte de los Milagros, ni en la terraza del Zúrich, y por un momento estuve a punto de desistir. «Pero ¿que esperabas, Juan? ¿Encontrarlo aquí de plantón, expuesto a que le echaras la policía encima?». Pues no estaba. Mi presentimiento de que todo animal depredador ronda siempre el mismo territorio resultó erróneo.

Estaba ante el cine Cataluña y manipulaba tres cartas sobre una caja de cartón que le servía de mesa. Casi no se le veía porque a su alrededor se apiñaba un montón de jugadores que apostaban, ganaban y hacían cambiar de manos billetes de curso legal. Uno de los que más ganaban era el hombre gordo del mono grasiento. Unos y otros estaban compinchados para atraer a los incautos y hacerles creer que podían ganar mucha pasta fácilmente. Animaban a los primos a jugar, y los primos perdían hasta el último billete. A este juego le llaman los *triles* y los que juegan son los trileros, delincuentes del peldaño más ínfimo del escalafón.

Mira por dónde: aquel mito viviente que me había deslumbrado no era más que un miserable trilero que había dado el golpe de su vida gracias a la generosa colaboración de Flanagan, el famoso detective bobo.

Le estuve vigilando de lejos hasta que alguien que vigilaba dio la voz de alarma («¡Agua!», dijo) y en un visto y no visto el tenderete fue desmontado y los jugadores se dispersaron en todas direcciones, diluyéndose en el paisaje. Unos instantes después, una pareja de policías municipales llegaba a la escena del crimen, paseando tranquilamente. Sabían perfectamente quiénes eran y a qué se dedicaban aquellos desocupados que ahora disimulaban aquí y allá, pero no podían hacerles nada si no los pillaban con las manos en la masa.

Al reconocerme, Ángel Vila me dedicó una sonrisa descarada, sin preocuparse ni un pelo por mi presencia. No obstante, sus ojos vivaces lanzaron una rápida mirada por encima de mi cabeza, como pidiendo ayuda a alguien situado a mis espaldas.

—¡Ah, mira! ¡Mi cómplice! —exclamó. Y con aquellas sencillas palabras me estaba amenazando. «Si me denuncias, diré que tú me ayudaste a saquear la casa de los Rocafort, y tú pringarás tanto como yo».

—Los cómplices cobran una parte del botín —dije, tan duro como supe—, y yo todavía no he cobrado la mía.

Casi le da un cólico de risa.

—¿Que no cobraste? Tú querías al niño, ¿no? ¡Pues ya te lo llevaste! —De un momento a otro se le desencajarían las mandíbulas de tanto reír—. ¿Cuánto te han dado por el rescate?

En aquello no dejaba de tener razón. El señor Rocafort me había dado dinero cuando le devolví al niño. Me pregunté si un juez me consideraría culpable de secuestro y cuántos años me podrían caer por aquello.

—Me engañaste, tío —le dije, acusador, imperturbable ante sus demostraciones de hilaridad—. Me engañaste, y eso entre colegas no se hace. Te traía un negocio, un negocio de mucha pasta. —Mirando cautelosamente a derecha e izquierda, saqué de la mochila el jarrón envuelto en papel de periódico y me dirigí a un portal cercano. Ángel Vila me siguió, curioso—. Pero tal vez será mejor que me busque un socio más legal.

El trilero había dejado descansar las mandíbulas. Ahora se le veía francamente interesado.

—¿Qué es? —Se refería al paquete.

—Mira.

Se lo ofrecí sin abandonar mis aires de conspirador. Quería que quedara claro que se trataba de un objeto robado (lo que no resultaba muy difícil porque *era un objeto robado*).

Lo examinó de una manera bastante curiosa, desenvolviendo el paquete tan solo un poco, como para hacerse una idea superficial de lo que era, girándolo después para ver la parte inferior. El jarrón (todavía no lo he dicho) era bonito porque sí. Era una terracota de líneas sinuosas y tenía modelada en relieve una bailarina antigua en un postura muy mística. A Ángel Vila, sin embargo, no le interesaban los valores estéticos de la cerámica. Él buscaba la firma y la encontró, como la había encontrado también yo. Ponía «Goldscheider», y un nombre como este, no sé a vosotros, me hacía calcularle un valor incalculable.

—Lo he sacado de una casa donde hay una colección entera de objetos parecidos. Sé cómo entrar y llevarnos el tesoro con toda la seguridad del mundo. Con todas las facilidades. Como si nos pusieran una alfombra para que no nos ensuciáramos los zapatos.

Ahora, el facineroso me miraba de otra manera. Con la admiración de un profesional que sabe valorar un trabajo bien hecho mezclada con la desconfianza del delincuente hacia el colega demasiado generoso. Le había ganado la mano. No se fiaba de mí, pero me consideraba colega y buen profesional. Esta es una de las ventajas de interpretar el papel de delincuente. A mi edad uno no puede presentarse como detective, por ejemplo, y pretender que los adultos le tomen en serio. La profesión de delincuente, en cambio, es mucho más liberal e incluso tiene una categoría especial, dedicada a mi edad, la de los delincuentes juveniles, de indiscutible prestigio.

—Si es tan fácil, ¿por qué no lo haces solo?

—No puedo hacerlo solo. Necesito ayuda. Gente experta y decidida.

—Bien. Cuéntamelo.

Había vuelto a envolver el jarrón, se lo había puesto bajo el brazo y se disponía a escucharme con atención.

—Sé de una criada —dije lentamente— que se halla metida en un crimen muy gordo, el más gordo que puedas imaginarte. Yo tengo la prueba que la inculpa. Solo tendremos que enseñarle esa prueba —y agitaba en el aire un objeto imaginario— y ella nos abrirá las puertas y nos dejará arramblar con todo el tesoro de cerámica sin decir ni mu.

Ya estaba. No pensaba decirle ni una palabra más.

—Detalles —dijo Ángel Vila—. Vamos al Zúrich, a tomar una *birra*. Quiero detalles.

No me moví.

—Y yo quiero mi parte del otro botín.

—Te daremos dos partes de este nuevo botín y tan amigos, ¿vale?

—No —me negué, con sonrisa atrevida—. Antes de decir ni una sola palabra más, tengo que saber que me puedo fiar de vosotros. Quiero un brazalete de oro con piedras rojas que os llevasteis.

—¿El brazalete? —Lo recordaba perfectamente—. ¿Precisamente el brazalete?

—Precisamente el brazalete —como quien dice «qué pasa», tirando de la cuerda y confiando en que no se rompiera.

—Está bien —se rindió él—. Me lo pensaré y, si tu plan me convence, tendrás el brazalete. Venga, vamos al Zúrich.

—Iremos, pero mañana, a esta misma hora. Primero tú me enseñarás el brazalete y después yo te explicaré el plan. Si no, no hay trato.

Dudó un momento. Podía entender la lógica de mis pretensiones. En mi lugar, él hubiera hecho lo mismo.

—De acuerdo. Mañana a esta misma hora en el Zúrich. —Miró de soslayo el paquete de la terracota. Pretendía darle a este gesto una significación triunfal que no tenía—. Esto te lo guardo, tengo que comprobar si es bueno.

Su actitud me retaba: «Y quítamelo si te atreves».

No intenté quitárselo. Ignoré absolutamente el guante que me lanzaba.

El reloj de la plaza de Cataluña marcaba las once y media cuando, aligerado del peso de mi botín, me introduje en el metro para volver a mi barrio. Apenas eran las doce cuando salí a la plaza del Mercado y me dirigí hacia el instituto. Mis pensamientos continuaban saltando de Carmen a Nines, de Nines al Rompebrazos y del Rompebrazos al desarrollo de mi plan, y esto me mantuvo distraído y perturbado por distintos estados de ánimo durante todo el trayecto. Bien, nadie me había dicho nunca que vivir fuera cosa fácil. (Claro que debo reconocer que yo tengo cierta propensión a hacer las cosas más complicadas de lo que son).

El instituto se hallaba en plena ebullición. El patio estaba lleno de gritos, de banderas y de algarabía. Había terminado el partido para decidir el tercer y el cuarto puesto y salían a la cancha los jugadores finalistas entre el griterío de sus incondicionales, los chicos, que se lo tomaban muy en serio, y las chicas, que se lo pasaban en grande y que, más que tomar partido por uno de los dos equipos, lo hacían por jugadores determinados de ambas formaciones. Había también muchos adultos, familiares de los jugadores que habían venido a animar y a ver triunfar a sus retoños. Y algunos profes, entre los cuales destacaba con luz propia Montserrat Tapia, la directora. Busqué a Carmen con la mirada, pero no estaba. No sabría decir si eso me alivió o me disgustó. A quien en cambio localicé entre la multitud fue a María Gual. Iba vestida de animadora, como las de las películas americanas, con un jersey muy ceñido que la favorecía mucho, una minifalda que tampoco le quedaba nada mal y un plumero de color verde fosforescente en las manos.

—¿Cómo ha ido? —le pregunté.

Miró furtivamente hacia el terreno de juego e hizo un gesto hacia el edificio cercano. Nos parapetamos tras la esquina. No era prudente que Charcheneguer nos viera juntos.

—¿Cómo ha ido? —repetí.

—¡El equipo de Charcheneguer ha perdido! —contestó ella, entusiasmada—. Los han vuelto a derrotar. Se han clasificado en cuarto lugar. ¡Los han humillado, Flanagan!

—¡Te estoy hablando de la carta!

—¡Yo también te estoy hablando de la carta, Flanagan! ¡Se ve que nuestro gorila se ha pasado toda la noche redactándola y hoy ha jugado medio dormido y pensando en otra cosa!

María se reía, malvada, y me contagiaba sus risas.

—¿Pero tienes o no tienes la carta?

—¡Claro que la tengo!

Se sacó de debajo del jersey un sobre blanco sobre el que se podía leer: «A Montse Bosch». Me apoderé de él con reprimida alegría. Con aquello, como mínimo, solucionaba uno de mis problemas.

—¿La has leído?

—¡Pues claro que la he leído! Me la ha dado antes del partido y me ha faltado tiempo para meterme en los lavabos y leérmela... ¡Qué bestia es este Charche! ¡Qué animal! —No sabría decir si María Gual estaba escandalizada o maravillada por lo que había leído—. ¡Qué indecente! Qué..., qué... ¡Qué *pornográfico*!

Metí la carta en la mochila. María Gual tenía muchas ganas de hacerme preguntas sobre el asunto, pero fue precisamente el propio Charcheneguer quien me salvó de su interrogatorio. Venía hacia nosotros, porque la salida del patio estaba justo al lado. Llevaba la bolsa de deportes en la mano y charlaba con un par de compañeros, todos ellos de la Hermandad de Cultivadores de Músculos. Era evidente que no pensaban quedarse a ver la final.

—¡Será mejor que no nos vea juntos! —exclamó mi espía disfrazada de animadora. Y se confundió con la multitud.

Decidido, me dirigí hacia la salida ignorando la presencia del mastodonte. Pero él no ignoró la mía.

—¡Eh, Mediometro! —me increpó, sin más ni más—. Te debo una, ¿eh?

Le dediqué una distraída mirada de reojo, como si se tratara de un insecto molesto.

—Me han dicho que hoy has estado mejor que nunca, figura —repliqué, jugándome la vida.

Intentó agarrarme del pescuezo, pero yo ya estaba fuera de su alcance.

—¡Entrénate con una de tus nalgas! —le grité a distancia—. ¡Son del tamaño de la pelota de reglamento!

Sabía que le ofendería al referirme a su físico, pero él también me había ofendido con su alusión a mi altura. Y aún reincidió, mientras se alejaba calle abajo.

—¡Te regalaré una de esas fotos que tú sabes, Mediometro! ¡Una foto especialmente dedicada por Sabrina!

Se alejaban él, sus amigos, y las risotadas.

Entonces vi a Carmen, en la otra acera. Me estaba contemplando, con ojos cargados de desolación, y estuve a punto de cruzar la calle para hablar con ella, para acariciar su pelo negro.

Estuve a punto, pero no lo hice porque a mi lado se materializó una montaña que me tapó el sol, y sobre mi hombro cayó una mano grande, dura y pesada como un trozo de mármol de Carrara. Comprendí que la desolación de los ojos de Carmen no se debía tanto a nuestra ruptura como a la presencia del peligro. *Ay.*

—Hola, chico... —me dijo una voz ronca—. Perdona que te moleste, pero quiero hacerte una pregunta...

De momento, no lo entendí. De momento me limité a mirar asustado a aquel hombretón de metro ochenta y mucho, cuerpo y rostro como esculpidos en mármol, con ángulos duros y crueles. Por inspiración divina, supe en seguida que aquel era el hombre que le había roto un brazo a Feli, el hombre que trabajaba para que el crimen del doctor Villena quedara impune, el hombre que me buscaba y que acababa de encontrarme. Ahora me empujaría al interior de su furgoneta y me dedicaría toda su atención. Y yo podría gritar todo lo que me viniera en gana: mi grito se diluiría entre el alboroto de la multitud que se desgañitaba animando a los jugadores de baloncesto. Sentí que el oxígeno se solidificaba en mis pulmones.

—A ti te llaman Mediometro, ¿verdad? —dijo el hombre. Y yo dejé de respirar. Era una pregunta retórica, claro. El hombretón había oído cómo Charche me llamaba Mediometro. La estatua de mármol no demostraba ninguna animosidad contra mí. Incluso intentaba sonreír, haciéndose el simpático, como hacen los adultos que odian a los niños y tratan de disimularlo—. Estoy buscando a un compañero tuyo, uno al que le llaman Flanagan, que es detective, amigo de Carmen Ruano.

¿Conocía a Carmen? Sin poder evitarlo, eché una mirada hacia donde estaba la chica unos instantes antes. Ya no la vi.

—¿Flanagan? —repetí, para ganar tiempo.

—Sí.

—¿Se refiere a Flanagan?

—¡Sí, sí, Flanagan! ¿Le conoces o no?

—¿Quién...? ¿Sabe qué aspecto tiene?

—¡No lo sé! —se impacientaba la bestia—. ¡Solo sé que le llaman Flanagan, que juega a ser detective, que es amigo de Carmen Ruano y que sus padres tienen un bar!

—¡Aaaaaah, Flanagan! —exclamé, feliz y un poco enloquecido por la suerte que había tenido.

No sé por qué hice lo que hice a continuación. Supongo que el susto me había hecho perder el *oremus* y no era responsable de mis actos. Cosas del instinto de conservación y del pánico. Os aseguro que me arrepentí de inmediato, pero entonces ya era demasiado tarde para rectificar.

Alargué el brazo y el dedo índice de la mano derecha, y con él señalé la espalda ancha y atlética que se alejaba, como quien apunta con un arma de fuego con la intención de disparar a traición.

Y lo hice. Apreté un gatillo imaginario. *¡Bang!*

—Flanagan es aquel —anuncié, con expresión angelical—. Aquel que se va con una bolsa de deportes.

Me estaba refiriendo a Charcheneguer, como ya habréis podido adivinar.

15

Rompebrazos

Intenté tranquilizarme: «¿Y en qué te basas para creer que este energúmeno es el Rompebrazos?». Quise imaginármelo llegando hasta Charche y abrazándole efusivamente. «¡Flanagan! Soy tu tío de América, que viene a nombrarte heredero universal!», y Charche no entendería nada, y pondría cara de pasmado, y todos acabaríamos riendo, muy millonarios y divertidos. Pero la escena imaginada no resultó nada convincente. Sobre todo, cuando vi que el Hombre de Mármol subía a una inequívoca furgoneta de color verde y la ponía en marcha.

Lo vi tan claro como la luz del día, fue una mezcla de recuerdo y de premonición: se me apareció la imagen de Elías Gual, un día de lluvia, cuando venía en moto precisamente para encontrarse conmigo. De pronto, un coche había dado un brusco acelerón, Elías Gual había caído brutalmente al suelo, el coche había desaparecido entre el tráfico de la plaza del Mercado...[1]. Llegué a la aterradora conclusión de que la historia estaba a punto de repetirse.

---

[1] Me estoy refiriendo a mi aventura anterior: *No pidas sardina fuera de temporada*.

Aquel Hombre de Mármol, Rompebrazos sin escrúpulos, se disponía a utilizar la furgoneta como arma mortal.

¡Quería matar a Charcheneguer! ¡O, mejor dicho, quería matarme a mí! O, vaya, las cosas como son: ¡Quería matar a Charcheneguer *creyendo que era yo*!

No pude perderme en más reflexiones. No tenía tiempo. La furgoneta estaba maniobrando para salir del aparcamiento, obstaculizada por los chicos que jugaban por allí. Yo tenía que ser más rápido que el vehículo.

Charcheneguer, cien metros más adelante, en la primera esquina, se despedía de sus amigos.

Salí volando hacia él al mismo tiempo que el vehículo agresor hacía rugir el motor, saliendo decididamente a la calzada.

Charcheneguer, distraído, buscando algo en el interior de su bolsa de deportes, desaparecía tras la segunda esquina, adentrándose en la calle que bordeaba los muros del instituto.

—¡Charche!

Era inútil. Ya no podía oírme.

La furgoneta pasó velozmente por mi lado. La angustia se me instaló en los pulmones por la nariz y por la boca, en forma de bocanada de aire helado. El horror casi me mareó. ¿No os ha ocurrido nunca que, en un momento dado, os arrepentís de ser como sois, desearíais no haber nacido, o haberlo hecho en el otro extremo del mundo, y ser otra persona? A mí me pasa continuamente, creo que siempre estoy metiendo la pata y actuando de forma equivocada, pero nunca como aquel día, en aquellos instantes trágicos, cuando vi que la furgoneta verde me adelantaba con toda facilidad, y llegaba a la esquina por la que había desaparecido Charcheneguer.

«¡Lo siento, Charche, lo siento, lo siento, lo siento!». La furgoneta verde siguió adelante, sin torcer para embocar aquella calle.

Aquello me sorprendió, me desconcertó, pero no me alivió. Me había hecho demasiado a la idea del drama como para asumir deportivamente que todo eran imaginaciones mías. ¿Qué ocurría? La furgoneta torcía por la calle siguiente, la que corría paralela a la que había tomado Charcheneguer.

Lo comprendí todo al llegar a la esquina donde Charcheneguer se había despedido de sus amigos. Un disco rojo con raya blanca había impedido el paso al vehículo. El Hombre de Mármol había ido a buscar la otra calle para dar la vuelta, salir por delante de la víctima y embestirla frontalmente.

Charcheneguer caminaba distraído, abstraído, tal vez imaginándose a una Sabrina afectada por un ataque de ahogos y palpitaciones al leer su carta incendiaria. Le habría podido seguir toda la comitiva del París-Dakar y no se habría enterado.

—¡Charcheeee! —Corrí tras él. ¿Qué demonios le pasaba? ¿Se había quedado sordo?—. ¡¡¡Charche!!! ¡¡¡Charche!!!

Iba reduciendo distancias, y Charcheneguer pronto oiría mis gritos, pero a pesar de todo me temía lo peor. Imaginaba la furgoneta verde torciendo por la próxima calle, viniendo hacia nosotros, apareciendo de cara. Solo por un instante pensé: «Anda que como no esté pasando nada de esto, menudo ridículo, tío», pero no frené mi carrera.

—¡Charche!

Ya estaba lo suficientemente cerca como para ver que aquel imbécil se había taponado las orejas con unos auriculares y que iba tan feliz, extasiado por alguna música horrible. Y, entonces, con firmando todos mis temores, la furgoneta verde se materializó en la primera esquina, diez metros por delante de Charcheneguer, derrapando como un campeón de ralis saliendo de una curva.

¡Y Charcheneguer ni caso, el muy cretino!

La furgoneta iba directamente hacia él con la velocidad y la determinación de un toro defendiendo su territorio.

Yo redoblé mi carrera, sacando el hígado por la boca.

—¡Charche!

Salté hacia adelante, me agarré de su cazadora y di un tirón hacia la izquierda, impelido por todo mi peso y la inercia que llevaba. Precisamente a la izquierda la calle estaba abierta, estaban reparando las conducciones del gas o del teléfono, y había vallas como de cartón piedra, montañas de tierra roja, cubos, picos, palas y otros útiles, y una trinchera profunda como una fosa de cementerio, y a la fosa nos fuimos los dos.

Tropezamos con una de las vallas, que no detuvo nuestra caída, y nos encontramos en el interior del foso mientras la furgoneta asesina pasaba de largo, *¡fzum!*, por el lugar donde estábamos un segundo antes.

—¡Jo, Charche! —sonreí feliz mientras nos incorporábamos—. De buena te has librado...

Charcheneguer me obsequió con una terrible mirada de loco. Tenía un arañazo en la frente, debía de haberse hecho daño en la caída. Y la cazadora nueva se le había cubierto de polvo rojo, y tenía un siete en la manga. Todo esto, y la cara un poco verdosa a causa del susto, convertían al culturista en una versión corregida y aumentada de el Increíble Hulk cuando hincha la musculatura.

No dijo nada. Se limitó a pegarme un sopapo que me giró la cara y me hizo rebotar contra las paredes de la zanja.

—¡Eh...! —Quise explicarle que todo tenía una explicación razonable, pero en aquellos momentos él no podía razonar. Quise decirle que una furgoneta de color verde, conducida por un psicópata, había estado a punto de atropellarle, pero él me amordazó con una lluvia de puñetazos. Yo acotaba mi discurso con ayes y huys, indefenso ante aquel ciclón que se me echaba encima—: ¡Ah, Charche, essuoooh!, ¡agf! ¡La fuuuuuh! —No sé si me entendéis. Aquel día no me explicaba demasiado bien.

Me salvó la campana. O algo que sonaba como una campana. Más exactamente, un cubo metálico que cayó sobre la cabeza de mi compañero, tapándole completamente la cara, *blonnnc*. Esto le hizo fallar el siguiente golpe. Alcé la mirada, tan sorprendido como él, pero algo más tranquilo, y me encontré con la imagen maravillosa de Carmen, aguerrida y valiente, fantástica amazona gitana, defensora de Flanagans desvalidos. Nunca la había visto tan guapa como en aquel momento, mientras golpeaba el cubo con los dos puños y repetía, enfurecida:

—¡Que te estaba salvando la vida, capullo, que eres un capullo! ¡Te estaba salvando la vida!

No obstante, en aquellas condiciones, Charcheneguer no se sentía nada inclinado a la reconciliación. Se arrancó el cubo de la cabeza y se volvió hacia Carmen como se vuelven los perros rabiosos cuando alguien les hace cosquillas. Tomé la iniciativa pegándole una patada en el tobillo, Carmen se le lanzó encima como me gustaría que se lanzara sobre mí, Charcheneguer perdió el equilibrio, y cayeron los dos al fondo de la zanja, con estrépito de golpes y gritos.

Por fin intervinieron los parroquianos que tomaban cañas en el bar de enfrente, y nos agarraron por la ropa, nos sacaron del agujero y pusieron un poco de ley y orden entre nosotros.

Reñían a Charcheneguer:

—¡Que te ha salvado la vida, *atontao*! —le decían—. ¿Es que no te has dado cuenta? ¡Una furgoneta...!

Le explicaban lo que había pasado y él los miraba bizqueando, sin saber cómo reaccionar.

—¿Qué...? —balbuceaba—. ¿Qué, cómo, quién, cuándo...?

Mientras, yo veía cómo Carmen se apartaba discretamente y, como una vengadora de leyenda, huía sin más explicaciones. Tuve el presentimiento de que no la vería nunca más.

Interpreté aquella heroica intervención como una despedida, como un modo de hacerme notar que ella siempre había actuado con sinceridad y nobleza, incluso arriesgando su físico, si hacía falta, para librarme de una paliza, y que yo era el mentiroso, el innoble traidor, que había provocado nuestra separación dejándola por otra.

Llegué a casa con el pecho saturado de suspiros y, en aquel estado de ánimo tan frágil, tuve que afrontar la explosión de mal humor de mi padre.

El primer pretexto de la bronca fue mi aspecto: llevaba los pantalones y la cazadora sucios de tierra y barro, la camisa rota, arañazos en la frente y en las manos, y un morado incipiente en la mandíbula. Las razones profundas del estallido, no obstante, tendrían que buscarse más lejos, tal como mi padre me dio a entender a lo largo de su incontrolado discurso. Ya sabéis cómo son estas cosas: quizá había tenido algún disgusto con un cliente, o se había levantado especialmente melancólico, el caso es que, por una u otra turbulencia de espíritu, se había puesto a darle vueltas a mi comportamiento durante los últimos días, preguntándose qué sería de un hijo que a mi edad ya vivía tan desenfrenadamente, y de este modo había llegado a una especie de estado de ebullición. Y solo faltó que me viera en aquel estado para que reventaran las calderas.

—¿Pero qué te ha pasado? —bramó de entrada, para abrir el coloquio.

Continuó diciendo que ya estaba harto de que saliera de noche, que frecuentara malas compañías y que me dedicara a un trabajo idiota que me obligaba a trajinar bebés de aquí para allá, y no sé por qué puso en el mismo saco el hecho de que me dedicara a salir con chicas antes de tiempo. Una mezcla catastrófica tímidamente apaciguada por mamá, que intercedía por mí, y contemplada por una Pili horrorizada ante la perspectiva de que el ciclón se girara hacia ella.

Me pareció que, más que enfadado, mi padre estaba asustado. Le recordé el día anterior, haciéndome notar que me estaba haciendo *definitivamente* mayor, y comprendí que era esa palabra, *definitivamente*, lo que le asustaba. Tal vez porque, a medida que yo me hacía mayor, él se hacía *definitivamente* viejo. Quién sabe. Sea como fuere, de nuevo tuve que asumir el ignominioso papel de detective que tiene que dar explicaciones de sus cicatrices a papá y mamá.

—Bueno, la verdad es que me he peleado un poco... Yo no quería, pero el otro sí... No lo he podido evitar...

Y la sentencia:

—¡Pues esta tarde te quedas en casa, limpiando el sótano, para evitar más palizas! ¡Ya verás como aquí no te peleas con nadie! Y ya que eres tan independiente y sabes ganarte la vida solito... —los grandes avaros siempre encuentran grandes excusas para ahorrarse unos céntimos—, ¡... ya puedes irte olvidando de la paga extra de Reyes!

—Sí, papá —dije, sumiso.

Jo, ¿se vio alguna vez Philip Marlowe en una situación semejante? ¿Le castigó alguna vez su papá privándole de la paga de Reyes?

Empecé a comer en silencio, decidido a castigarle con mi indiferencia, pero unos minutos más tarde no pude evitar la pregunta:

—¿Ha llamado alguien preguntando por mí?

Y mi padre, sarcástico:

—No, chico. Se ve que los de la Federación de Lucha Libre aún no han tenido noticias de tus progresos...

Ni siquiera me había llamado Nines, mi último refugio sentimental. Abundando en mi derrota, pensé que, si me fallaba Nines, no solo quedaría destrozado mi corazón, sino también mi plan perfecto (la operación Año Nuevo). Y mi amor propio no me permitiría nunca que fuera yo quien la llamara. En aquella época, yo cultivaba la teoría de que es la persona que se va la que debe dar el primer paso hacia la que se queda. Siempre son los viajeros los que están obligados a enviar postales. Solo el que se va puede volver. El que se ha quedado en el andén no puede hacer más que esperar. Y, a medida que pasa el tiempo, si la expectación se revela inútil, no tendrá más remedio que resignarse al abandono definitivo.

(Sé que era una reacción idiota, pero era la que tenía en aquel momento, tampoco quiero engañaros).

Flanagan, condenado a trabajos forzados, sacando telarañas y porquerías del sótano, entregado a sus melancolías.

El día de San Esteban más feliz de mi vida. ¡Ja!

La lectura me ayudó a distraerme un poco. Es bien sabido que la lectura es el consuelo y el oasis de las almas solitarias, y os puedo asegurar que la carta que Charcheneguer le había escrito a Sabrina contribuyó poderosamente a levantarme la moral. Incluso puedo aseguraros que, gracias a ella, me reí un buen rato y de buena gana.

Sembrada de faltas de ortografía, garabateada con tanto ímpetu que la punta del bolígrafo había perforado dos o tres veces el papel y en un estilo directo y convincente, la carta empezaba diciendo: «Querida Montse: cuando te veo, pienso en una vaca lechera, ¿y sabes por qué?». ¡Y ya podéis imaginar cómo seguía! Charcheneguer exponía sin ningún reparo lo que haría y lo que dejaría de hacer si se le concediera la oportunidad: proezas, gestas épicas, récords Guinness, milagros. En mi vida había leído una retahíla de groserías tan abrumadora. Ni tan adecuada a mis necesidades concretas. Como mínimo, parecía que mi maquiavélica operación anti-Charche sí acabaría dando resultados positivos.

Pili me arrancó de la lectura. Oigo música a mi espalda, me vuelvo y me encuentro a mi hermanita que venía a animarme la vida con su reproductor de música.

—¿No te gusta la canción que te he puesto?

Escuché la música. Era aquel viejo tema de Antonio Machín, *Corasón Loco*, interpretado por la *Orquesta Platería*. «Cómo se pueden querer dos mujeres a la vez / y no estar loco».

—Muy graciosa —le dije, dedicándole una mueca.

Intercambiamos muecas durante un buen rato. Nos reímos, nos pusimos serios y repasamos de nuevo la operación Año Nuevo.

—¿Piensas ir a la fiesta? —me preguntó.

—Claro. Quiero verlo todo desde primera fila.

—Ah, pues yo también quiero ir. ¿Me dejarás ir, verdad?

—¡No! ¡Claro que no!

—¡Soy tu secre!

—¡No puede ser, Pili! ¿Qué te has creído? ¿Que...?

—¡Tengo derecho a ir!

—¡No!

—Seguro que tienes una invitación para mí, ¿verdad?

Todavía tenía tres o cuatro invitaciones en la mochila, pero no estaba dispuesto a permitir que ningún imprevisto me estropease la operación Año Nuevo.

Siempre y cuando existiera una operación Año Nuevo, claro. Porque si a Nines todavía le duraba el enfado y no había enviado las demás invitaciones ni había hablado con los Rocafort, ya podíamos irnos olvidando de todo.

Por la noche, justo cuando estaba quitando la última mota de polvo del sótano, bajó mi padre y, magnánimo, me conmutó la pena de trabajos forzados por otra de reclusión menor.

16

Callejón sin salida

Miércoles, *27 de diciembre.*

Antes que nada, visita a la carnicería, para comprar una botellita de sangre.

¿De sangre? —se extrañó Lola, la carnicera.

—Sí, sí, de sangre. Sangre de ternera, de conejo, de pollo, de cerdo, sangre de horchata, la que tenga. En una carnicería deben de tener, ¿no?

Claro que tenían. Espesa y repugnante, de la consistencia de un flan. Alegué que la necesitaba para un experimento que nos habían encargado en el cole. Volví a casa con la botella y la oculté entre mis documentos secretos, en el rincón más seguro de mi cuarto.

Después, me fui a la plaza de Cataluña. Tenía una entrevista con el trilero Ángel Vila, de delincuente a delincuente. Pero, antes de ponerme a buscar al ladrón, me acerqué a los grandes almacenes que afean el centro de la ciudad y me dirigí a la sección de ropa de trabajo. No me costó nada encontrar una bata como la que quería. Abrochada por delante, con botones, y con un escote generoso. Recordaba perfectamente la talla de la otra bata, la que

Hortensia guardaba en el armario donde me había escondido. De modo que fue tan fácil como decir «esta misma» y «pagaré al contado» (con el dinero que me había dado el señor Rocafort) y, cuando salí a la calle, ya llevaba en la mochila otra de las piezas imprescindibles para llevar a cabo mi proyecto.

Ángel Vila me esperaba impaciente, en la terraza del bar Zúrich. Se lo había tragado todo. La terracota que le había dado, según un amigo suyo, entendido en estas cosas, era una joya. Si había más piezas como aquella, lo que yo estaba planeando era un golpe de millones. Ángel Vila (aunque tratara de aparentar escepticismo) estaba dispuesto a cualquier cosa con tal de no perderse aquella oportunidad. De momento se limitó a invitarme a un refresco, pero habría sido capaz de postrarse ante mí, en plena terraza, si se lo hubiera exigido como condición.

Como muestra de su buena voluntad, me entregó el brazalete de oro y rubíes de los señores Rocafort.

—Ya ves que cumplo mis compromisos. Ahora te toca a ti. Quiero saberlo todo.

Me guardé la joya en el bolsillo.

—Sabrás lo que yo quiera que sepas —le paré los pies con una autoridad que ni yo mismo sabía de dónde salía—. Ya me la pegaste una vez, no estoy dispuesto a que me engañes de nuevo.

Le repetí la historia de la criada implicada en un crimen, ampliando un poco los detalles. Le hablé de la bata manchada de sangre, que ella creía que su cómplice había quemado, y le dije lo primero que me pasó por la cabeza para justificar que estuviera en mi poder. A cambio de mi silencio, el día de Año Nuevo la criada nos ayudaría a *limpiar* la casa.

El trilero me interrumpía, me acribillaba a preguntas. Era como si aquel catedrático de los chorizos me estuviera haciendo un examen oral de esos que ponen tan nervioso. Pero encontré respuestas satisfactorias para todo, y me reservé dos datos esenciales: la dirección de Villena y la hora a la que la criada abriría el ventanal del jardín.

—Eso te lo diré por teléfono, el mismo día 31 —le dije—. Tú prepárate. Llámame a este número a las doce del mediodía.

—No me falles, ¿eh? —contestó él, amenazándome con un dedo que me pareció inofensivo.

Volví hacia mi barrio seguro de que le tenía perfectamente dominado. Demasiado seguro. Tendría que haber previsto que Ángel Vila era mucho más peligroso de lo que parecía.

En casa, me dediqué a transformar la bata de enfermera que había comprado aquella mañana, según mis necesidades. Aún por estrenar, se la veía demasiado limpia y acartonada, de modo que la mantuve sumergida en agua, en el lavadero del sótano, y, después de una hora, la sequé con el secador de mi madre. Después, traté de licuar la sangre que había obtenido por la mañana en la carnicería. Le añadí agua y, como no me gustaba mucho el color que tomaba, le añadí alcohol y anhilina de color granate, de la que uso a veces en el cole. A continuación, vacié la mezcla sobre la bata blanca. No quedó del todo mal.

Mientras estaba entregado a estas manipulaciones, Pili me transmitía la noticia de que el señor Rodríguez, el de la tienda de fotografía, tardaría unos días en volver a abrir su negocio. Por lo visto, el pasado viernes, en la pelea con el Lechón, había llevado las de perder y tendría que permanecer algún tiempo en la clínica. Como sea que la cámara de Charcheneguer era analógica y teniendo en cuenta que el señor

Rodríguez no tenía a quién confiarle la tienda, mi compañero de curso se vería obligado a esperar unos días antes de poder contemplar las fotos de Sabrina. Me lo imaginé mordiéndose los puños de impaciencia.

Yo también me mordía los puños de impaciencia.

Y de miedo.

—Me ha dicho Carmen que te andes con mucho cuidado —me susurró Pili después de comer—. Que no salgas de casa. Dice que un hombre muy peligroso está preguntando por ti. Que ya saben que tú eres Flanagan.

Pregunta: ¿Por qué no podía venir a decírmelo personalmente Carmen? ¿Por qué tenía que transmitirme los mensajes a través de Pili?

Respuesta: Porque no quería volver a verme.

Y, a pesar de todo, cuidaba de mi seguridad. El detalle no podía dejar de emocionarme, claro.

—¿Es verdad eso que dice Carmen, Johnny? —se preocupaba Pili—. ¿Es verdad que ese tío es tan peligroso como dice? ¿Es verdad que ayer estuvo a punto de atropellarte?

—No, mujer, no —decía yo, sin convicción, para tranquilizarla.

Pero el caso es que no salí de casa, ni aquel día ni el siguiente, 28 de diciembre (día de los Inocentes, que estaba pensando en convertir en *San Flanagan Glorioso*).

Estuve dando vueltas entre aquellas paredes que, a cada paso, me parecían más próximas unas de las otras. El espacio se me hacía más pequeño a cada momento que pasaba, los pasillos más estrechos, los techos más bajos.

Por las calles merodeaba un energúmeno que me buscaba, dispuesto a atropellarme con su furgoneta. Que se dice pronto.

—¿Qué te pasa, Juanito? —me dijo mi padre la enésima vez que tropezó conmigo—. ¿No sales a jugar a la calle?

—No. No me apetece...

—Vamos, hombre. Ya no estás castigado. Puedes salir. Hoy te doy permiso para que ligues...

—No, no...

—¿Te encuentras mal?

—No...

Pensó que todo era una maniobra para hacerle sentir culpable por la bronca del martes. Y, claro, se sintió culpable. Y, claro, me pegó otra bronca.

—¡Pues haz lo que quieras, pero si te quedas tendrás que ayudar! ¡Aquí no haces más que estorbar!

Me puse a ayudarle tras la barra, y rompí media docena de vasos y una botella de coñac.

—¡Largo de aquí! ¡Esfúmate!

A las diez de la noche sonó el teléfono.

—Oye tú, que es Nines —me comunicó burlona Pili, parodiando el modo de hablar de los pijos.

—¡Hola, Flanagan! —me dice Nines, muy contenta, risueña, feliz. Mi corazón cabalgaba a un alocado galope—. ¡Misión cumplida, *boss*! Bueno, casi cumplida. Una noticia buenísima, una buena a secas y otra casi mala. Empiezo por la casi mala: no he podido hablar con los señores Rocafort. Se fueron de viaje. Pero me he enterado de que volverán antes de Año Nuevo, de modo que no tienes por qué preocuparte. La buena noticia: he enviado todas las invitaciones, tal como me dijiste. Ah, y la buenísima, ¡no te lo vas a creer! —No me dejó ni preguntar «¿de qué se trata?»—: ¡Hemos localizado al niño de Feli! —¿*Hemos*?—. ¡Ricardoalfonso y yo hemos ido a la dirección que nos diste, la de Gloria Garbosa! ¡Y tienen un niño! Se trata de una pareja mayor, cuarenta años, y unos vecinos nos han dicho que no habían podido tener hijos hasta ahora, y que de pronto han tenido uno como quien saca un conejo de un sombrero. ¡Ha sido fantástico, te lo juro por Snoopy, fantástico! ¡Ricardoalfonso incluso le hizo una foto...!

—¿Habéis estado preguntando a los vecinos? —la corté en seco y con mala uva. (El nombre de Ricardoalfonso se me había clavado entre ceja y ceja).

—¡Sí! Ha sido idea de Ricardoalfonso...

—¡Pues dile a Ricardoalfonso *que se guarde sus ideas en una cajita de puros y que las coleccione*! ¿Me oyes? Os pedí discreción y lo habéis estado pregonando todo a gritos por las calles...

—Bueno, no es exactamente como dices...

—¡Y además, no me gusta que la gente meta las narices en mis casos!

Silencio. Un silencio muy largo y muy inquietante. Me imaginaba a Nines, en su dominio privado, con su teléfono inalámbrico, guiñándole el ojo al maldito Ricardoalfonso y poniendo cara de «¡uf, qué *pesao*!», como había hecho conmigo el día en que nos conocimos.

—¿Qué te pasa, Flanagan? —había adoptado un tono trascendental, que invitaba a la confidencia.

—¿Que qué me pasa? —aullé. Todos los clientes del bar me miraban. De no ser por ellos, le habría dicho a Nines que un matón me perseguía con la intención de matarme, que el éxito de la operación Año Nuevo estaba más que comprometido, que podía convertirme en cómplice de un robo multimillonario que, encima, había planeado yo mismo, y que, por si todo esto fuera poco, cuando más la necesitaba ella se ponía a coquetear con un imbécil que se teñía el pelo y se hacía llamar Ricardoalfonso. Pero había demasiado público como para decir todo aquello, de manera que tuve que conformarme con—: ¿Que qué me pasa? ¡No me pasa nada! ¿Qué te hace pensar que me pasa algo?

Otro silencio. Nines suspiró y bajó un poco más el tono de voz:

—¿Qué tal si nos vemos y lo discutimos con calma, Flanagan?

—No, ahora no —dije, no sé por qué, como un imbécil, cuando estaba deseando que viniera.

—Bueno, pues mañana.

—Sí, mejor mañana.

—¿Qué te parece si quedamos en mi casa y te pruebas un esmoquin que te tengo preparado para la verbena del doctor Villena? Si quieres ir a la fiesta, tendrás que hacerlo disfrazado. Recuerda que el doctor Villena te conoce.

—Ah, bueno, sí.

—¿Mañana, a las cuatro, después de comer?

Habría chillado como una mona, me habría revolcado por el suelo, habría silbado como un tren expreso, habría corrido por encima de la barra del bar o habría provocado a un rinoceronte rabioso, si hubiera sabido que con aquello podría ver a Nines inmediatamente. Y ella me decía: «¿Quieres que vaya a verte?», y yo le contestaba: «No, mejor mañana».

¡Si eso no es estar loco...!

Viernes, 29 de diciembre.
Paso la mañana obsesionado por la visita a Nines, haciendo cosas tan impropias de mí como son ducharme, peinarme, cambiarme de ropa, como si fuera a ver al rey, o algo por el estilo. De paso, me sorprendo tarareando *Caballo Viejo* y repitiéndome como un disco rayado que tengo

que borrar para siempre a Carmen de mis pensamientos, de mi agenda, de mi biografía íntima. Borrar a Carmen y abrirle puertas a Nines, que es mucho más guapa, mucho más elegante y mucho más rica.

Y, después de comer, me peino de nuevo, me limpio los dientes, me paso un cepillo por los zapatos y, cuando me dispongo a salir al bar, estoy a punto de tropezar con Pili, que llevaba platos a la cocina. Se para y grita:

—¡Cuidado, Flanagan, que mancho...!

Al oír el nombre de Flanagan, uno de los clientes vuelve la cabeza para mirarme, con el gesto lento de quien ya sabe lo que verá, actitud calmada del cazador que espera y tiene paciencia, y que tarde o temprano siempre consigue su pieza.

Se me heló la sangre en las venas y la orina en el vientre.

Era el Hombre de Mármol. El Rompebrazos. El asesino de la furgoneta verde. Y estaba allí, cortándome el paso en mi carrera para reunirme con la ansiada Nines.

Di un salto atrás.

—¿Qué te pasa, Flanagan? —se asustó Pili—. ¿Qué has visto?

—¿Quién? ¿Yo? Nada, nada.

—¡Te has puesto verde! A la que me has visto, te has puesto verde, como si fueras a vomitar...

—¡No, no, qué dices!

Reconozco que mi comportamiento era un poco alocado, desasosegado, frenético. La inquietud con que miraba Pili estaba plenamente justificada.

—¿Qué me pasa, Johnny? ¿Qué has visto? ¿Estoy despeinada? ¿Tengo la cara manchada?

—¡No!

—¿Me han salido granos? ¿Se me ve enferma?

—¡No, no, no!

Me siguió hasta el baño y se miraba en el espejo, buscando síntomas de abominables enfermedades, mientras yo revolvía los medicamentos del botiquín.

—¡Yo no veo nada! ¿Puedes decirme qué me pasa, Johnny?

Tuve que explicárselo:

—¡Que en el bar hay un tío que quiere matarme!

—¡Ah, me habías asustado! —exclamó ella, aliviada—. Creí que me había salido el sarampión, o la viruela o un orzuelo en un ojo...

Mientras yo traficaba con los medicamentos, llevando a término un plan elaborado a ratos perdidos durante los días anteriores, Pili me perseguía aventurando sugerencias impracticables:

—¡Pues no te muevas de aquí hasta que se vaya!

—¡Es imposible! ¡He quedado con Nines!

—Ah, Nines... —Estaba claro que a Pili no le caía bien Nines. A Pili se le nota en seguida en las pupilas de los ojos si alguien le cae bien o no—. ¡Pues dile a papá que le eche!

—Sería inútil. Me esperará en la calle. Ahora ya me ha localizado y le basta con tener paciencia.

—¡Avisa a la policía!

—¿Y qué les digo? ¿Que no me gusta su cara? ¿Que le echen del barrio, o de la ciudad, o del país...?

—Entonces, ¿qué piensas hacer?

—De momento, no me queda más remedio que retirarlo de la circulación.

—¿Tú? —exclamó Pili, sin poder reprimir el sarcasmo.

—Sí. Yo. Ven. —Nos acercamos al bar. Sin que nos vieran, le señalé al Hombre de Mármol—. ¿Ves? Es aquel. El del traje azul.

—¿El que tiene aspecto de asesino a sueldo? —Salidas como esta te dan moral, te ayudan a sobreponerte, ¡*glups!*—. Sí, lleva más de una hora en el bar.

Le expuse mi estrategia. Fantástica hermana que entiende las cosas a la primera y que nunca te deja en la estacada. Le di lo que le tenía que dar y ella se lo llevó a la barra.

—No te preocupes —me dijo—. Déjalo en mis manos.

Llamé a Nines, avisándola de mi retraso.

—Pero no te marches, ¿eh? —le pedí—. ¡Iré seguro!

Pili pasó por mi lado y me informó:

—Ha pedido una cerveza.

Me encerré en mi habitación, simulé que leía un libro de relatos de ciencia ficción de Robert Sheckley, autor que normalmente me hacía reír a carcajadas. En aquella ocasión no me despertó la menor sonrisa. Tenía un ojo en el libro y el otro en el reloj y no entendí nada de nada. Dejé a un lado la literatura y me mordí las uñas durante unos veinte minutos.

—¡Johnny! —me llamó Pili.

—¿Ya se ha ido?

—No. Pero puedes salir. Está en el servicio.

Uff. Suspiro. Intercambié una sonrisa cómplice con Pili y bajé. Desde el pasillo, comprobé que, efectivamente, el Mármol no estaba en el bar y que la puerta del lavabo estaba cerrada. Muy bien. Tal y como lo habíamos previsto.

Sin ninguna prisa, incluso silbando para demostrarme a mí mismo que no tenía nada que temer, crucé el local y me despedí de papá: «Adiós». «¡Adiós, no vengas tarde!», y me dirigí hacia la plaza del Mercado.

Y, de repente, oigo pasos precipitados tras de mí.

Lo sabía antes de volver la cabeza: era el Mármol Rompebrazos. Mi cerebro se llenó de lucecitas rojas, rótulos de neón que titilaban ¡*help, help, help!,* al tiempo que sonaban sirenas de alarma, *piuuu, piuuu, piuuu,* cantinela premonitoria, muy parecida a la de las ambulancias.

El Mármol Rompebrazos estiraba un brazo para agarrarme.

El problema de sufrir un susto como este es que te ocupa todo el espacio disponible en el cerebro y no te deja ni tiempo ni lugar para reflexionar. Como mucho, te queda un poco para hacerte preguntas sin respuesta: «Pero ¿no estaba en el servicio?». «¡Era una trampa, Flanagan! ¡Ha fingido que se iba para hacerte salir! ¡Enhorabuena por ser tan idiota, Flanagan!».

Todo eso mientras corría despavorido, perdiendo el mundo de vista y, a lo loco, doblaba la primera esquina y me precipitaba hacia un formidable callejón sin salida. Ante mí, una pared alta como el Everest y lisa como una pista de hielo. A la derecha, la puerta de emergencia, metálica, cerrada, de una empresa del barrio que quebró hace años. A la izquierda, dos toneles oxidados apoyados contra otra pared de proporciones alpinas. Y en la atmósfera estancada y densa, el aroma que habían dejado todos los que habían orinado en aquel discreto rincón, ideal para vaciar la vejiga o para romperle la cara a alguien.

Y el Rompebrazos ya venía hacía mí, tranquilo, sin prisas, seguro de que no había escapatoria, porque él me cortaba la única salida.

—Bien, chico. Llevo tiempo buscándote. Tengo que darte un mensaje de parte de un caballero al que le complicaste la vida. Y a quien todavía se la puedes complicar más...

—No... ¡No sé de qué me habla! ¡Se equivoca de persona! —grité, sin aliento ni esperanzas, atento a las manazas de Mármol, que se abrían y se cerraban con ganas de hacer daño. Y a los ojos fríos como el mármol, que revelaban una personalidad capaz de cualquier cosa.

—No. Esta vez no me confundo de persona.

En el mismo momento descubro la sorpresa, la salvación, el séptimo de caballería. Me entraron ganas de aplaudir, como cuando era pequeño y asistía en el cine al salvamento del héroe.

Detrás del Rompebrazos acababa de aparecer Ángel Vila en carne y hueso.

No sabía qué hacía en el barrio, ni cómo había llegado. Pero, dado que éramos socios, esperaba que me ayudara. Lo daba por supuesto. Le miré como diciéndole: «Eh, Vila, mira, este tío te quiere dejar sin socio, a ver qué haces».

Pero me equivocaba. Aterrorizado, vi cómo mi socio, ladrón y traidor, se apoyaba en la pared, sonreía y se ponía un mondadientes en la boca, en la actitud de quien se dispone a presenciar un interesante combate de boxeo.

«Eh, Vila —chillaban mis ojos—. Si no salgo de esta, se ha acabado el negocio para ti».

«Si no sabes salir de esta, criajo —decían los ojos adormecidos de Vila—, no me interesa hacer negocios contigo».

Mientras, el Mármol, que le tenía a sus espaldas y no había reparado en su presencia, seguía comentando mi broma del martes, cuando señalé a la víctima equivocada, y ya cerraba un puño tan grande como el mundo para arrancarme la cabeza de un golpe...

... Cuando de pronto gimió:

—*Uc* —muy flojo.

«Uc», y como si esta fuera una palabra mágica, se transfiguró. La sonrisa sádica y el color se borraron de su rostro (¡náusea!), se llevó las manos al vientre (¡calambre intestinal!) y abrió muchos los ojos, como si no entendiera lo que le estaba pasando, o que le pasara en aquel momento tan inoportuno. «Uc».

Bajé la cabeza y, con ella por delante, apuntando a su estómago, le embestí.

Diana. Le acerté de lleno, porque él ni siquiera había intentado apartarse o protegerse. Se dobló con un grito que reflejaba más desesperación que dolor. Era un gemido penoso, mientras rebotaba de tonel en tonel y caía de culo al suelo. Pobre, lo único que le faltaba. De sus tripas surgió un ruido a cañería atascada, puso cara de absoluto desconsuelo y, un segundo después, mientras el llanto le deformaba el rostro, una nueva pestilencia, mucho más potente, se sumaba a la del callejón.

El Mármol se estaba cagando en los pantalones.

—Oh, no, no, por Dios, no, no —gemía, lloriqueaba, vencido por el ridículo, pálido y con la cara entre las rodillas.

Ángel Vila abría unos ojos como platos, convertido en una estatua a la idiotez. Se diría que había apostado toda su fortuna a la victoria del Rompebrazos y ahora no podía creer lo que veían sus ojos. Le resultaba inconcebible que un solo cabezazo mío redujera a la impotencia a un mastodonte de mármol como aquel.

Le resultaba inconcebible porque él no podía saber que Pili había mezclado en la cerveza del Rompebrazos unas gotitas de aquel aceite purgante de hierbas que hacía la abuela en el Pirineo, aquel aceite con amargor de cerveza que ríete tú del agua de Carabaña, aceite de efectos contundentes y rápidos. Se lo habíamos suministrado con la simple intención de que se encontrara mal, se fuera a su casa y nos dejara en paz. Cuando Pili me dijo que el enemigo se había metido en el servicio, pensé que tenía para rato y por eso salí tan tranquilo. Y cuando el monstruo me atrapó en la calle, creía que la medicina no le había hecho ni le haría efecto. De ahí mi desesperación. Bien, la pócima mágica había tardado algo más de lo previsto, pero había funcionado.

Ahora el Mármol Rompebrazos intentaba levantarse, con la intención de huir. Me venían ganas de golpearle, recordando lo que le había hecho a Feli, pero no fui capaz. Dejé que empezara a correr, pensando que al pobre hombre le esperaban días entretenidos, porque la receta de la abuela era de efectos duraderos. Llevaba los pantalones manchados, las tripas continuaban emitiendo gorgoteos horrísonos y no creo que nadie hubiera dado el cambio del metro por su dignidad.

Por si fuera poco, cuando llegó a la esquina, Ángel Vila le cortó el paso. Le agarró por las solapas y le propinó uno de esos rodillazos que duelen tanto.

—Y no te quiero... ¡No te queremos ver más por el barrio! —le gritó el trilero a la cara, salpicándole de saliva—. ¿Entendido?

No pude oír la respuesta del Mármol, si es que contestó algo, pero puedo asegurar que aquel Mármol estaba mucho menos frío y mucho más deteriorado que el que había entrado en el callejón.

En seguida me di cuenta de que mi victoria había sido doble. Si Ángel Vila hubiera llevado sombrero, se lo habría quitado y me habría dedicado una profunda reverencia.

—Muy bien, chaval —exclamó, sin disimular la admiración.

Me ofreció la mano, pero yo la ignoré.

—Si por ti fuera, este energúmeno ya me habría hecho papilla. ¿Qué haces aquí? ¿Cómo has llegado?

—Te seguí —se justificó, humilde—. Tenía que asegurarme de que podía fiarme de ti. Estaba esperando a que salie-

ras del bar cuando he visto que este tío te seguía y he venido hasta aquí.

—Y qué —le interrumpí, severo, acuciado por las prisas
de ir a mi cita con Nines—. ¿Ya estás satisfecho?

—Sí... Claro.

—Pues venga, esfúmate.

En mi vida me había sentido tan en la cresta de la ola
como en aquel momento.

17

Año Nuevo

Después del formidable triunfo de carambola con el que había neutralizado, de una sola tacada, a dos peligrosos mangantes, podéis imaginar en qué estado de euforia y de soberbia llegué a casa de Nines. Me dejé conducir por la criada polaca como si aquel séptimo cielo de Pedralbes me perteneciera, monté en el pequeño ascensor como si toda mi vida hubiera utilizado ascensores para subir a ver a mis amistades y llegué a la majestuosa habitación de Nines con aplomo de hombre de mundo.

Me la encontré con un delicioso combinado de frutas en cada mano, recibiéndome con aires de dura Lauren Bacall:

—Sabía que vendrías, Johnny. La calidad siempre gana.

Os podéis imaginar la admiración que desperté en ella al contarle mi último éxito (del que el brazalete que le di para que se lo devolviera a los Rocafort constituía una buena prueba) y comprenderéis que la chica, desde aquel instante, se comportara como una fan incondicional.

—Hablemos de cosas serias —dije, quitándole importancia a la fascinante aventura—. ¿Has podido hablar con los Rocafort?

No había podido hablar con los Rocafort, pero aquella no era una de las cosas que consideraba más importante.

—Te quiero pedir perdón por el número del otro día —me dijo, muy sincera—. Me pasé.

—¿Un número? ¿Tú?

—Sí, sí. Sufrí un ataque de celos, al ver a aquella niña pobre con mi vestido. Debí haber imaginado que tú tenías muchas amiguitas en tu barrio y que, siendo como eres, no podías dejar de regalarle a una niña pobre los vestidos que yo ya no quiero para nada. En aquel momento no supe comprenderlo...

Volvimos a hacer manitas, nos volvimos a besar.

Después, muy excitados, dejamos las cosas serias para entretenernos en frivolidades.

Por ejemplo, la foto que Ricardoalfonso le había hecho al bebé de Gloria Garbosa el día anterior. Habían salido al paso de la criada que lo paseaba en un cochecito y, mientras Nines la distraía, Ricardoalfonso disparó la Polaroid. Bravo por la pareja de detectives. Ni me digné mirar la foto; me la puse en el bolsillo diciendo: «Ah, bien, sí, bien», y cambié de tema. Solo por un momento, pensé que, si Carmen pudiera verla, identificaría al niño, y esto nos confirmaría si habíamos encontrado por fin a Jose. Pero Carmen ya había desaparecido de mi vida y yo no estaba dispuesto a celebrar los méritos de la competencia. Y, como Nines tampoco tenía ganas de hurgar en heridas que ya iban cicatrizando, no hablamos más de la foto.

—De modo que no has podido hablar con los Rocafort —comenté, mientras me probaba el esmoquin, la camisa bordada y la pajarita que Nines me tenía preparados.

—No, pero no te preocupes, volverán el día treinta y uno.

—¿A qué hora?

—Antes del mediodía. Tú no te preocupes. Yo me encargo de los Rocafort. Tranquilo. ¿Qué te parece el esmoquin?

—Bien —dije.

El esmoquin me parecía muy bien. Me veía muy elegante, muy rico, incluso más adulto. Y todavía más cuando Nines me peinó el pelo hacia atrás y me lo fijó con una especie de espuma repugnante. Con el añadido de unas gafas de celuloide con los cristales sin graduar, ni yo mismo me conocía. El doctor Villena solo me había visto una vez, y solo unos minutos, y en estado de notable agitación, de modo que no era probable que me reconociera durante la fiesta.

—¡Serás la sensación! —aseguró Nines—. ¡Venga, aprovechemos y vayamos a celebrarlo!

Me llevó a cenar a un restaurante de mil tenedores, donde los camareros le hacían los honores casi lamiendo los suelos. Y, a la hora de pagar, lo hizo con una tarjeta de crédito.

—¿Te pasa algo? —me dijo Nines cuando salíamos.

—No, nada.

—¿Te ha molestado que pagara yo? ¡Vamos, Johnny! No serás un ridículo machista, ¿verdad? Cuando tengas dinero, ya me lo darás.

¿Por qué había dado por sentado que yo no tenía pasta para pagar? No la tenía, pero me hubiera gustado que me lo preguntara antes de afirmarlo: «¿Tienes pelas para pagar la cuenta?».

Volví temprano a casa. Porque se lo había prometido a mi padre y porque me había puesto un poco de malhumor.

El sábado, día 30, llamé a Hortensia, la enfermera. Una llamada anónima con voz grave, de ultratumba.

—No importa quién sea yo. —Guion plagiado de tantas películas—. Lo importante es que tengo en mi poder una prueba de tu participación en un crimen...

—¿En un crimen?

—El asesinato de Manolo Molinero. —Silencio—. Tengo tu bata manchada de sangre.

—¿Mi... bata?

—Una bata escotada por delante. Se te manchó de sangre, y el doctor Villena dijo que se encargaría de quemarla, ¿verdad?

—Sí.

—Pues no la quemó. La guardó, por si las moscas. Para tener alguien a quien acusar del crimen en caso de que las cosas se pusieran feas. —Silencio, un silencio denso mientras ella les abría las puertas a los fantasmas de la desconfianza y del recelo. Seguí—: Pero yo he conseguido apoderarme de ella. Y ahora te diré lo que tienes que hacer si quieres recuperarla...

—¿Usted es un espíritu?

—No. Soy una persona de carne y hueso. No te condenaré a las penas del infierno, pero puedo hacer que te pases el resto de tu vida en la cárcel.

—¿Qué quiere que haga? —preguntó ella de inmediato, sin pausas, dispuesta a cualquier cosa.

—El día de Año Nuevo celebran una fiesta en casa del doctor Villena.

—Sí.

—La sala donde tienen las cerámicas, ¿sabes a qué me refiero?, aquella que parece un museo...

—Sí.

—A las once cincuenta de la noche, es decir, a las doce menos diez, ¿me sigues?, cuando falten diez minutos para que cambie el año...

—Sí, sí le entiendo.

—No quiero que haya nadie en esa sala.

Ni una duda:

—No habrá nadie.

—Porque tú me abrirás el gran ventanal que da al jardín...

—Sí.

—... Y entraremos por allí, y tú nos dejarás que hagamos lo que iremos a hacer. Recuerda que tendremos la bata y que, si alguien nos molesta mientras estemos trabajando, le diremos lo que le hiciste al pobre señor Molinero.

—¡No fui yo! ¡Fue...!

—¿Me has entendido o no?

—Sí, señor.

Todo estaba saliendo tal y como lo había previsto. Solo chirriaba un detalle, pero tenía que confiar en que Nines supiera resolverlo.

El domingo 31 solo faltaba una llamada telefónica para ponerlo todo en su lugar. La llamada de Ángel Vila, que se produjo puntualmente a las doce del mediodía.

—¿Todo listo? —me preguntó.

—Todo listo —dije.

No era cierto: Nines todavía no había hablado con los Rocafort. No obstante, me arriesgué. Le dije que nos encontraríamos a las doce menos cuarto cerca de la Clínica Ginecológica del doctor Villena.

Después llamé a Nines.

—¿Has hablado con los Rocafort?

—Ya están aquí. Acaban de llegar, los estoy viendo por la ventana. O sea que tranquilo, Johnny. En seguida voy a hablar con ellos.

Con Nines quedé citado a las once cincuenta y cinco en la puerta del domicilio de los Villena.

Todo tenía que funcionar exactamente como un reloj. Un retraso de un minuto podía significar la catástrofe.

¡Os podéis imaginar lo nervioso que estaba aquel día!

—Pero ¿qué te pasa, Juanito? —me preguntaba mamá, preocupada.

—Nada. Que estoy preparando una fiesta de Año Nuevo...

Pili aprovechaba para protestar.

—Y a mí no me invita.

A medida que se acercaba el momento de entrar en acción, aumentaba el temblor de mi cuerpo. Por la mañana, solo me temblaban las manos. A mediodía, me di cuenta de que también me temblaban las piernas y que se me hacía difícil caminar. Hacia media tarde, el temblor se me había metido en el cuerpo. Me temblaban las tripas, los pulmones, el estómago.

—Tienes mala cara, Juanito... —me dijo mi padre—. Si estás enfermo, esta noche no sales, ¿eh?

No pude evitar llamar a Nines a las seis, a las siete y a las ocho de la tarde. En las tres primeras ocasiones, la criada polaca dijo que «la señorita» no estaba, que había ido a la peluquería. A las ocho, me dijo que no estaba, que había ido a ver a los vecinos. («¿Y esta inconsciente ha esperado hasta las ocho, para ir a ver a los Rocafort?», gritó en mi interior una voz exasperada, histérica).

Con el corazón en vilo, les deseé un buen año a mis padres y a Pili, y salí de casa con la bolsa de deportes pretextando que María Gual organizaba una fiesta en su casa, y que tenía que ayudarla a prepararlo todo. No podía salir de casa disfrazado de Mario Conde sin provocar una incómoda conmoción familiar.

Fui a casa de los Gual, como había dicho, pero para cambiarme de ropa en el cobertizo de su jardín, donde, teóricamente, tenía mi despacho.

Hice tiempo, charlando con María, resistiéndome a sus insinuaciones y explicándole una historieta de marcianos con antenas verdes que improvisé en su honor. Me resistí a llamar a Nines de nuevo, abandonándome a una especie de fatalismo. Hasta aquel momento todo había ido bien, me decía: no había ningún motivo para que las cosas se estropearan en el último momento. Y (seguía diciéndome), si se habían estropeado, ya era demasiado tarde para echarse atrás. No podía defraudar a los ladrones que dependían de mí: sabían dónde vivía, vendrían a pedirme explicaciones. No podía abandonar a mi espiritista extorsionada, o se volvería definitivamente loca antes de inaugurar el Año Nuevo. No podía olvidarme de la decena de invitados añadidos a la fiesta del doctor sin el conocimiento de este: padres de hijos adoptados fraudulentamente que ahora estarían preguntándose qué hacían en la fiesta, mientras el doctor se ponía nervioso al verlos y rompía copas preguntándose exactamente lo mismo. Era demasiado tarde para echarse atrás, y por eso me veía obligado a adoptar la actitud del avestruz. Enterré la cabeza bajo la arena, salté al abismo con los ojos cerrados.

Llegué a la hora justa, las 11,45, al lugar convenido.

Ángel Vila y su amigo el Gordo Grasiento me esperaban escondidos detrás de una furgoneta de octava mano. Me llamaron con gritos susurrados antes de que los viera.

—¡Eh, mira el dandy! —se burló el Gordo Grasiento.

—¿Todo listo? —me preguntó Ángel Vila, más profesional.

—Todo listo —hablábamos en voz baja, confundidos en la estrecha acera con las sombras de los coches—. ¿Veis aquel ventanal de la casa, el que está a oscuras? Entraréis por allí. Es el que nos abrirá la criada.

—¿Llevas la bata?

La llevaba envuelta en papel de regalo, con dibujitos de estrellas de Reyes Magos. Ángel Vila rompió el papel sin ninguna contemplación. La bata blanca parecía tener vida propia en la oscuridad de la noche, y las manchas de sangre eran como tenebrosos agujeros.

—Vamos allá —dije.

Ángel Vila me sorprendió agarrándome por el esmoquin y tirando bruscamente. Me quedé mirándole desconcertado.

—Si es una mala pasada... —me amenazó con gruñido de perro que enseña los colmillos.

—No es una mala pasada —le aseguré—. Id y...

—No. Irás tú.

Empezaban los imprevistos.

—¿Que vaya yo? ¡Pero si sois vosotros quienes...!

—Ve tú. Quiero ver cómo entras.

No podíamos perder más tiempo. Miré el reloj. Las 11,49. Había exigido demasiada puntualidad como para fallar ahora.

—Está bien —acepté, resoplando.

Le arrebaté la bata a Ángel Vila, me la puse bajo la chaqueta del esmoquin y, sin pensármelo dos veces ni controlar si me seguía o no, corrí hacia la casa de los Villena. Me dirigí a la fachada de la clínica, oscura y silenciosa en contraste con la otra, correspondiente a la vivienda. Aquella noche la verja de acceso estaba cerrada, pero no me costó nada trepar por ella, agarrándome a los barrotes con las manos y utilizando los adornos de hierro forjado como apoyos para los pies. Cuando salté al otro lado, percibí de reojo que los dos ladrones me seguían, pero fingí que no me importaba.

El terreno del jardín hacía pendiente hasta el ventanal al que me dirigía. Resbalé y solté un taco. Mis cómplices chistaron de nuevo exigiéndome silencio.

Hortensia ya estaba al otro lado de los cristales. Con los ojos como platos, brillantes a causa del miedo y de las lágrimas, con los dedos rígidos a la altura del pecho. Cuando me vio, abrió la puerta de cristal.

—Oh, Dios mío; oh, Dios mío; oh, Dios mío —repetía, desazonada. Y, al ver la bata—. Oh, Dios mío, la bata; oh Dios mío, la bata.

Quiso cogerla. La alejé de sus manos gritando: «¡No!».

La aparición de Ángel Vila y del Gordo Grasiento estuvo a punto de provocar un chillido de la conturbadísima enfermera. Mientras el segundo nos controlaba a los dos, el primero entró en la habitación y echó una ojeada, acercándose a la gran puerta, del otro lado de la cual nos llegaba música y rumor de voces. Cuando volvía hacia nosotros, más aliviado, se permitió detenerse a mirar las mil y una piezas de cerámica que adornaban la gran sala. Le oí silbar.

Eran las 11,52. Tenía que correr para llegar a mi cita con Nines.

—¿Estás tranquilo? No hay ninguna trampa, ¿lo ves?

—¿Dónde tienes que ir? —me preguntó.

Improvisé:

—A vigilar para que todo siga saliendo bien. Para que nadie os sorprenda aquí dentro, por ejemplo.

—Deja que se vaya —dijo el Gordo Grasiento.

En seguida adiviné sus intenciones: si yo no estaba presente, podrían irse con el botín y no tendrían por qué repartirlo. Ángel Vila le miró de reojo, sonrió y se mostró de acuerdo con él.

—Muy bien, chico, tú mandas —dijo, burlón—. Ya nos veremos.

—La enfermera —agregué—. Tenéis que dejarla marchar. Si la echan de menos en la fiesta, el doctor la buscará... Y mirará aquí. Mientras ella esté fuera, garantizará que nadie os interrumpa. —Dudaban—. ¡Venga! ¡Mientras tengáis la bata, no os denunciará!

No dudaron más. La soltaron y la enfermera salió corriendo en una dirección y yo salí por el jardín, subiendo la pendiente hacia la verja por la que había entrado.

11,54. En un minuto trepé por la verja, salté al otro lado y eché a correr, para rodear la manzana de casas hacia la calle de abajo, donde ya debía de estar esperándome Nines.

Llegué a las 11,56.

Y Nines no estaba.

Miré el reloj, pateé el suelo, consulté el reloj a cada segundo que pasaba, imaginándome a los ladrones llenando los sacos con las valiosísimas cerámicas, porcelanas, terracotas...

... Y eran las 11,57, y Nines no llegaba.

La maldecía con los puños cerrados, reprimiendo apenas la necesidad de golpear los muros hasta derribarlos.

Las 11,58, y un taxi se detuvo a mi lado y de él bajó Nines, transfigurada en la mujer (no niña, chica, ni titi: *mujer)* más guapa que jamás he visto fuera de la pantalla de cine.

Vestido negro, cinturón de plata, peinado de muchas horas de peluquería, pendientes también de plata, collar de perlas que seguramente había tomado prestado de su madre. Parecía cinco años mayor. Pero no me permití el placer de contemplarla mucho rato, porque eran las 11,59 y la policía tenía que llegar a las doce en punto.

La agarré de la mano, tiré de ella hacia la casa.

—¡Johnny! —dijo ella.

—¡Corre! —dije yo.

Subimos los cuatro peldaños que nos separaban de la puerta. Ella se resiste, no comprende la prisa delirante que me arrebata.

—¡Johnny, no podemos..! —Se resiste como si yo le estuviera pidiendo un imposible.

Pero yo ya he pulsado el timbre. Me vuelvo hacia ella mientras esperamos a que nos abran.

—¿Cómo que no podemos? Son las doce, la poli debe de estar al llegar...

—¡*No...!* —dice Nines.

Entonces, antes de que yo pueda entender nada, se abre la puerta y un camarero muy excitado nos empuja hacia dentro.

—¡Pasen, pasen, pasen! —grita—. ¡Que están a punto de sonar las campanadas!

Nos empujan materialmente hasta el salón, abarrotado de gente. Por lo menos hay cien invitados, los hombres de esmoquin, las mujeres con vestido largo, todos con las uvas preparadas, la boca abierta, todos atentos a los grandes altavoces donde ya suenan los cuartos de las doce. También los seis músicos de uniforme de gala, casi tan elegantes como los invitados, están pendientes de las campanadas, las uvas listas, la boca abierta.

Y Nines me susurra al oído:

—¡La policía no vendrá, Johnny! ¡Los señores Rocafort no han querido saber nada de ir a la policía!

Y entonces...

... Permitidme un pequeño golpe de efecto...

... Entonces se apagaron todas las luces.

18

Fin de fiesta

Se apagaron las luces y todos los presentes, invitados, músicos, camareros, incluso los que no sabían por qué se les había invitado, todos empezaron a cantar el *Vals de las Velas*, esa canción típica en este tipo de ocasiones. «Igual que en viejos tiempos / con solemne rituaaaaaal...», con acompañamiento de tintineo de brindis, de risas de lo más animado y animoso y toses de los que se habían atragantado con las uvas, gritos deliciosos, euforia de caballeros besando a mujeres que no son las suyas, y mujeres besando a caballeros desconocidos.

—Feliz Año Nuevo —repetían mil personas incansablemente a mi lado—. Feliz Año Nuevo, felicidades, feliz Año Nuevo, felicidades...

La musiquilla de fondo me sonaba como una gran marcha triunfal que solemnizara el éxito de los ladrones, fin de fiesta glorioso para la cagada más importante de vuestro humilde servidor.

Se me había venido todo encima con la contundencia de un adoquinazo. Quedé aturdido, sin aliento, sin conocimiento, sin sentido, sin orden ni concierto, sin paz, sin norte, sin bandera, sin aditivos ni colorante. Por un momento me vi mirando a Nines sin saber quién era, ni qué hacía allí, ni por qué me hablaba con tanta confianza si no habíamos sido presentados.

—¡Los señores Rocafort no han querido hablar con la policía, Flanagan! —repetía, incansablemente.

Y yo:

—Qué.

Y ella lo repetía.

—Pero, pero, pero... —reaccioné por fin—. Pero ¿por qué no me lo has dicho antes?

—¡No he podido, no me has dejado! ¡No estabas cuando te he llamado!

—¿Cómo que no estaba?

—¡No estabas! —Nines también tenía que repetir las cosas unas cuantas veces para entender lo que ella misma estaba diciendo. Su cerebro, como el mío, había salido malparado del *shock*—. ¡He llamado a tu casa, he hablado con tu hermana Pili! ¡Se lo he contado todo, me ha dicho que ya te habías ido, que iría a buscarte a casa de María Gual!

Yo miraba la puerta que conducía a la habitación de las cerámicas como si pudiera ver, a través de ella, a Ángel Vila y a su cómplice llenando sacos y sacos de tesoros incalculables. Gracias a mí. Con este, ya eran dos los robos sustanciosos que había propiciado. Ya podían considerarme uno de los suyos.

Mi mirada tropezó con otra brillante y febril, la de Hortensia, la enfermera-criada. También ella, como yo, estaba muy lejos del mar de alegría que nos rodeaba, los dos éramos piezas equivocadas en un rompecabezas de locos, si me permitís la imagen. Desvié la vista para seguir observando a mi alrededor como si fuera el organizador, el único responsable de una fiesta que estuviera acabando en catástrofe. Porque, para mí, la catástrofe era precisamente la ausencia de catástrofe, no sé si me entendéis. Todos reían, todos se querían, todos charlaban, brindaban, bebían, comían en torno a unas mesas llenas de canapés y de comida fría que se te hacía la boca agua, y los camareros iban de un lado para otro con las bandejas llenas de copas, como si estuvieran personalmente interesados en que todos los invitados pillaran de inmediato una curda como un piano. Allí no pasaba nada, ese era el drama. Que no pasaba ni pasaría nada.

Nines seguía hablando a mi lado, y a mí me sonaba como si alguien se hubiera dejado una radio en marcha.

—¡Es lo que me temía, Johnny! ¿Recuerdas que te dije que los Rocafort nunca sacaban a su hijo de casa, que lo tenían como escondido? ¡Pues es porque ellos también lo han adoptado ilegalmente! ¡Se lo compraron a una mendiga en el metro de la plaza de Cataluña...! De ahí el...

Glup. Fue como si alguien bajara el volumen de Radio Nines al mínimo. De ahí el malentendido que se produjo la primera vez que fui al metro, buscando al hijo de Feli, cuando en realidad el que allí se había vendido era otro, trato que debía de haber presenciado Ángel Vila, quien siguió a los compradores y los vigiló, con ánimo de conseguir algún beneficio a costa de aquella pareja adinerada. De ahí la actitud de «bien está lo que bien acaba, y no busquemos más líos» de los señores Rocafort cuando les devolví el crío. Y se me había pasado por alto. *Glup.* Brillante, Flanagan. Si hubiera tenido un martillo a mano me habría dado con él en la cabeza, a ver si con un poco de masaje se me espabilaban las neuronas.

Radio Nines seguía emitiendo:

—... me han dicho que te diera las gracias por devolverles el brazalete, pero, cuando he hecho referencia al comercio de bebés, se han cerrado completamente en banda.

«¿Lo ves, Flanagan? —pensaba yo, envidioso—. Hay gente que se lo sabe montar. Saben que no les conviene complicarse la vida y no se complican la vida. En cambio, tú...».

Localicé al doctor Villena. Se le veía aturdido, se movía con una especie de movimientos bruscos reprimidos que le hacían parecerse a un autómata del Tibidabo. Repartía sonrisas mecánicas a derecha e izquierda, sonrisas tan violentas como si las personas distinguidas que le rodeaban fueran en realidad mendigos sucios y llagados que se hubieran colado en la fiesta y le estuvieran pidiendo permiso para dormir en su cama. No se lo estaba pasando nada bien. Aún debía de estar preguntándose qué hacían allí los padres adoptivos de su negocio clandestino, quién les había hecho llegar la invitación. Y, entre la multitud, en seguida supe localizar a aquellos que tampoco sabían por qué habían sido convocados por el doctor Villena. No se habían negado a acudir porque, de una manera u otra, se hallaban en sus manos, pero ahora necesitaban una explicación que no podían reclamar. No podían acercarse a Villena y preguntarle: «¿Se puede saber por qué nos ha hecho venir?». Y, como sea que el doctor tampoco les decía nada, esperaban inquietos la sorpresa que, pensaban, se produciría en el momento en que menos lo esperasen.

Tal vez por eso, porque una parte de la concurrencia daba por sentado que se presentaría algún imprevisto, cuando sonó un estrépito de estropicio y gritos en algún lugar de la casa, se creó una expectación cargada de interrogantes, de corazones en vilo y de sonrisas. La orquesta, que

214

estaba interpretando una versión de *My Way,* cesó de tocar y preparó la charanga introductoria de las grandes ocasiones. Cerca de mí, un invitado de voz arrastrada, vaticinó:

—Ahora saldrá un viejo disfrazado de Año Viejo y un niño disfrazado de Año Nuevo.

Se equivocaba.

De pronto, el chillido penetrante de Hortensia se impuso al rumor de fondo. Y, simultáneamente, se abrieron de golpe las grandes puertas dobles que daban al museo de cerámicas y Ángel Vila y el Gordo Grasiento irrumpieron en el salón entre gritos muy furibundos.

Yo me encogí un poco, porque prefería que no me vieran.

—¡Quietos! —bramaba una voz tras ellos—. ¡Quietos! ¡Policía! ¡Todos al suelo!

—¿Policía? —dijo Nines.

—¿Policía? —dije yo. La miré—. ¿Pero no has dicho que...?

Nines se encogió de hombros, tan absolutamente desconcertada como el resto de los invitados.

El doctor Villena empezaba a tener aspecto de necesitar los auxilios de algún colega del ramo de la cardiología.

Al ver aparecer a los agentes uniformados, el invitado que tenía al lado inició un aplauso que provocó una ovación general. Pensaban que se trataba de una representación teatral.

En la parte delantera de la casa se encendieron potentes reflectores y sonó una voz amplificada por un megáfono.

—¡Que no salga nadie! ¡Les habla la policía! ¡La casa está rodeada!

La diversión terminó en el preciso momento en que Ángel Vila se lanzó al cuello de la enfermera con la evidente intención de estrangularla, profiriendo unos gritos y unas imprecaciones espantosas, y los policías de uniforme cayeron sobre él golpeándolo con las porras, y unos y otros fueron a aterrizar sobre la mesa de los canapés, que se hundió con estrépito delirante. La violencia de los hechos resultó lo bastante manifiesta como para que, de momento, algunos invitados tuvieran el detalle de intentar separar a los contendientes diciendo «ey, ey, ey», conciliadores, y de inmediato huyeran a toda velocidad dando saltitos y diciendo «ay, ay, ay», despavoridos.

—¡Esta mujer es una asesina! —gritó Ángel Vila cuando le sujetaron dos policías. Y mostraba la bata blanca manchada de sangre, haciéndola ondear como si fuera una bandera—. ¡Ha matado a un hombre llamado Manolo Molinero!

Se produjo el juego de carambolas que yo había preparado durante tanto tiempo.

Hortensia, con ojos de loca sorprendida en el momento de despedazar un cadáver, señaló al anfitrión de la fiesta, el muy respetable doctor Villena, salvador de vidas, comprometido por el juramento hipocrático, y afirmó:

—¡No fui yo! ¡Él le mató! ¡Él mató a Manolo Molinero! ¡El doctor Villena!

El invitado de voz arrastrada insistía:

—No me lo creo. Debe de ser un montaje teatral para animar la fiesta.

El doctor Villena, centro de la atención y del ruedo que se había hecho para facilitar la representación de aquella magnífica pieza teatral, quiso quitar importancia al asunto:

—Dispénsela. Esta mujer es una paranoica incurable que dice tonterías sin pies ni cabeza. —Hizo un gesto despreocupado con la mano que proyectó el líquido de su copa a la cara de su esposa. Aquello aumentó un poco más su nerviosismo—. ¡Oh, perdona, querida! —Hortensia insistía: «Él, él, él, fue él»—. ¡Soy médico! —proclamó el doctor Villena—. ¿Acaso tengo cara de ir clavando bisturíes a la gente?

Le contestó una voz nueva, contundente como un puñetazo, vibrando en los altavoces de la orquesta, cayendo de las alturas como si fuera la voz de Dios:

—¿Y cómo sabe que a Manolo Molinero le mataron con un bisturí?

Villena se encogió un poco, disminuyendo su altura en unos cuatro dedos.

—¡Yo no he dicho que le maté con un bisturí! —protestó, diciendo «maté», segunda metedura de pata que lo empequeñeció un palmo más y que hizo que el traje impecable se le deformara.

—¡Sí que lo ha dicho! —gritó mi vecino, ansioso de participar en la supuesta representación.

—¡Sí! —no pude reprimir gritar también yo.

—¡Sí! —me apoyó Nines.

—En los periódicos —seguía diciendo el hombre que se había apropiado del micrófono— no se hizo ninguna referencia al arma del crimen. Solo se habló de un objeto «incisivo-cortante», expresión con la que normalmente nos referimos a una navaja. Solo la policía sabía que la herida no era de navaja. Nadie más, aparte del asesino, podía conocer este detalle.

Todos mirábamos extasiados al hombre bajo y gordo, envuelto en un traje que le iba pequeño, que se expresaba desde el estrado con la soltura de un vocalista de orquesta salsera y que redondeó su intervención con una rúbrica digna de aplauso:

—Ah. Se me olvidaba presentarme. —Sacó una cartera y exhibió una placa—. Soy el comisario Santos, de la policía.

Doctor Villena: queda detenido. Y todos ustedes tendrán que identificarse a los agentes para ser debidamente interrogados.

Y Hortensia que, una vez lanzada, no parecía conservar el sentido de la medida, añadía leña al fuego, para no perder protagonismo:

—¡Sí, señor comisario, deténgalos a todos! ¡Porque mató a Manolo Molinero para esconder el asunto de la compraventa de bebés! ¡Él los vendía y toda esta gente los compraba!

La mención de la compra de bebés provocó síntomas de infarto entre algunos de los invitados y una instintiva avalancha de huida hacia la puerta. Hubo forcejeos entre invitados y policías, blasfemias, llantos, luchas, confusión absoluta.

Fin de fiesta. El año nuevo empezaba en aquella calle con cien invitados y algunos curiosos de las casas vecinas contemplando estupefactos cómo llenaban una furgoneta celular con Ángel Vila, el Gordo Grasiento, la enfermera Hortensia, el doctor Villena y su mujer, que insistió en acompañarle.

Y tan estupefactos como los invitados, estábamos yo y Nines, sin explicarnos todavía la aparición de la policía.

—Tal vez los Rocafort han cambiado de idea...

—Tal vez ya tenían vigilado a Ángel Vila, o al doctor Villena...

La explicación del enigma nos llegó cuando nos disponíamos a darle nuestros nombres al comisario Santos. Entonces, una vocecilla inconfundible, dijo:

—Este es mi hermano.

Y, al lado del regordete policía, descubrí a mi estupenda hermanita, Pili. Pilastra, como la llamo de vez en cuando, cariñosamente.

—¡Pili!

—De modo que tú eres Flanagan... —sonrió el comisario Santos, encantado de conocerme.

Me llevó aparte y me dio las explicaciones pertinentes. No le hice demasiado caso, por dos motivos. El primero y principal era que resultaba muy fácil deducir lo sucedido. Al recibir la llamada de Nines y enterarse de que no podíamos contar con la policía, Pili había corrido a buscar la ayuda de la única persona que podía proporcionárnosla: Feli. Feli había sido interrogada por la policía, por el comisario Santos en persona, con motivo del asesinato de Manolo, y el brazo roto justificaba de sobra que hubiera callado hasta aquel momento. Como en los cuentos de hadas, Pili había conseguido derribar la barrera de su miedo mostrándole un talismán: la foto de Jose, que había encontrado en mi mochila mientras buscaba las invitaciones para colarse en la fiesta de los Villena.

Para convencer a Feli, también ayudó mucho la inestimable colaboración de Carmen.

Y Carmen era el otro motivo de mi falta de atención.

La había descubierto un poco más allá, apartada del jaleo, con su modestia habitual, dirigiéndome una sonrisa luminosa con los dos incisivos a flor de labios.

Y el comisario me comentaba que no tenía que preocuparme, que el caso estaba resuelto, que ahora toda aquella gentuza se acusarían los unos a los otros, o tal vez intentarían negarlo todo, pero que lo tenían muy crudo. Saldría a la luz el móvil del asesinato (el tráfico de bebés) y bastaría con análisis de sangre a padres e hijos para confirmar si eran propios o adoptados.

Pero a mí no me importaba. Había estado haciendo el primo, esperando postales de una chica que me había dejado en el andén, y aquella chica me salvaba la vida y me ayudaba a triunfar y yo seguía sentado, esperando la llegada del correo. «¿Estás ciego, Flanagan? ¿Cuántas cosas más tiene que hacer esta preciosidad para que te des cuenta de que está a tu alcance? ¿Qué más quieres que haga, atontado?».

—¿Y qué harán ahora con estos pobres niños adoptados, comisario? —se interesaba, angustiada, Nines, con mucho sentido común—. Es evidente que sus padres auténticos no los quieren, y también es evidente que, por encima de todo, sus padres adoptivos sí los quieren... ¿Qué harán? ¿Los llevarán a un hospicio, los alejarán de su familia...? Los niños no tienen ninguna culpa de que los hayan adoptado de forma fraudulenta, ¿no le parece...?

A mí también me interesaba mucho lo que pudiera pasarles a los bebés, claro que sí, e incluso me volví hacia Nines y hacia el comisario para escuchar la respuesta humanitaria del policía («Puedes estar seguro de que, si alguien ha de salir beneficiado de esta historia, serán los bebés...»), pero debéis comprender que aquella historia había acabado y que otra estaba comenzando, y precisamente en aquel momento Carmen parecía haber decidido que ella sobraba allí, y ya se daba la vuelta y se alejaba en dirección al metro.

No lo pude evitar: murmuré un precipitado «perdonad» y, casi sin darme cuenta, eché a correr, vagamente consciente de que dejaba a Nines tras de mí.

—¡Flanagan!

Me reclamaba, me detenía, me retenía Nines, más *pobre niña rica* que nunca dentro de aquel disfraz de adulta millonaria que le iba indiscutiblemente grande.

Me volví hacia ella, no podía dejarla allí plantada de aquella manera, «seamos personas, Flanagan», y tomé con dos dedos la mano que me alargaba.

—Carmen... —se me escapó—. Quiero decir, Nines... Quiero decir: Nines, Carmen...

Sabía lo que quería, pero me horrorizaba tener que escoger. Nadie me había dicho que, en la vida, a veces resultara tan difícil escoger lo que consideras mejor para ti.

Y, con los ojos y sin querer, ya le estaba diciendo a Nines que no, que cada uno de nosotros pertenecía a un mundo diferente y que había otro mundo entre los dos, que ella era demasiado rica, demasiado guapa, demasiado distinguida para mí. Era tan rica que, si pagaba una cena, decía: «Cuando tengas dinero ya me lo devolverás», dando por sentado que ella tenía más dinero que nadie; tan guapa que siempre estaba convencida de su triunfo («la calidad siempre gana»); tan distinguida que, desde lo alto de su torre dorada, se reía de los clientes del bar de mi padre, compadecía a los pobres *lolailo* y se enternecía con chicos estrafalarios como Flanagan. Hablaba de los «pobres» y de los «delincuentes» como si fueran extraterrestres, raza desconocida e incomprensible, con el distanciamiento cruel de quien sabe que pertenece a otro universo *mejor*.

Identificaba suciedad con maldad, carencia con estupidez, ignorancia con perversión.

Estaba demasiado lejos. Demasiado. Tan lejos que nuestros dedos ya no se tocaban, y que no teníamos nada que decirnos porque, siendo de galaxias diferentes como éramos, solo podíamos utilizar la telepatía para comunicarnos.

La gente se empezaba a dispersar. Nos estábamos quedando solos en la calle. Y Carmen, leal, alegre, decidida y traviesa, la que bailaba *Caballo Viejo* para mí, la que me abroncaba al verme con Nines y la que se peleaba con la bestia de Charcheneguer para defenderme, se alejaba cada vez más, desaparecía de mi vida camino del metro.

—Ya nos veremos —le dije a Nines con vergonzosa torpeza.

Ya había entendido cuál era mi decisión, porque se le estaban empañando los ojos. Porque era caprichosa y voluble, sí, pero su mariposeo tal vez solo significaba que necesitaba afecto, mucho afecto, el afecto de todo el mundo, el mío, el de Ricardoalfonso y el de este y el de aquel y el del otro, como si sumando todos estos afectos pudiera compensar de alguna manera la falta de afecto de sus padres, que se lo daban todo y no le daban nada. Me dio pena, sí, *pobre niña rica*, porque el capricho por mí le hubiera durado una semana o dos, y ahora, en cambio, al dejarla me convertía en otro hito destacado en el calendario de sus fracasos. Me dolió, de verdad, comprender que a veces, por mucho que odies hacer daño a la gente, no te queda otro remedio que hacerlo.

Se cubrió la cara con las manos y negó con la cabeza.

—Ya nos veremos.

Y salí corriendo en pos de Carmen, gritando su nombre.

Epílogo

Martes, 2 de enero.

Desde las nueve de la mañana, hora a la que el señor Rodríguez, ya repuesto de sus traumatismos, abría la tienda, hasta las once, hora a la que Charcheneguer fue a recoger las fotos de Sabrina, estuve vigilando el establecimiento.

Mientras esperaba, leía el periódico, donde ya se hablaba del caso del doctor Villena («*REVEILLON* DE LA *JET* ACABA COMO EL ROSARIO DE LA AURORA», «CONOCIDO MÉDICO, SOSPECHOSO DE ASESINATO *Y* DE VENTA DE BEBÉS»). Los testimonios de Feli y de la enfermera Hortensia, unidos al mío, al de Carmen y al de muchas vecinas de las Barracas que confirmaron los tejemanejes de los compradores de bebés, habían acabado con la detención del Rompebrazos, cuyas declaraciones habían terminado de tejer una red de la que le resultaría muy difícil escapar al doctor Villena.

Había oído decir que los padres adoptivos de Jose (Gloria Garbosa y su marido) habían llegado a un feliz acuerdo con Feli, dándole trabajo en su casa, de manera que ninguno de ellos tuviera que renunciar al hijo y que el hijo no tuviera que renunciar a ningún tipo de ventajas en su vida futura.

Pero todo esto, a mí, me resultaba muy lejano y ajeno. Lo que ahora me interesaba era Charcheneguer.

Salía de la tienda con su tesoro fotográfico en una bolsa de papel y, mira por dónde, me encuentra allí delante, apoyado en un buzón, mirándole con toda la jeta y saludándole con una mano.

En nuestro último encuentro nos habíamos separado dejando muchas explicaciones pendientes, de modo que corrió hacia mí, decidido a pasar factura ahora que se le presentaba la oportunidad de echarme el guante.

Supongo que le sorprendió un poco que yo no me moviera, que permaneciera impávido, con una carta cogida con dos dedos de la mano derecha medio introducida en la ranura del buzón. Tal vez fue eso lo que le detuvo. Eso, o mi grito de alerta:

—¡Cuidado con lo que haces, Charche! ¡Si me tocas, soltaré la carta! —Como quien empuña una pistola y amenaza con apretar el gatillo.

—¿La carta? —Claro. No lo entendía, pobre animalito. Todavía no.

—Sí, hombre. Una carta escrita de tu propio puño y letra. Dice: «Querida Montse: cuando te veo, pienso en una vaca lechera, ¿y sabes por qué?». ¿Te acuerdas de la carta, Charche?

Se ruborizó, se puso como un hierro al rojo, faltó poco para que se le cayeran los ojos al suelo.

—¿De dónde la has sacado? —gritó, apretando los dientes y cerrando los puños.

—Tengo mucha influencia sobre Sabrina, ¿te acuerdas?, y he conseguido que me la diera. —Esta imprecisión servía para proteger a María Gual, claro.

—De-vuél-ve-me-la —silabeó, rabioso, Charche.

—Te la devolveré si tú me das las fotografías y los negativos de Sabrina.

—¡Devuélvemela! —gritó, alzando el puño.

—¡Cuidado, Charche! —canturreé—. Si me tocas, dejaré caer la carta en el buzón...

Aquello le detuvo, más que nada porque no conocía mis intenciones.

—¿Y qué? —gritó—. ¡Vuélvela a enviar, si quieres! ¿Qué ganas con eso?

—Es que no la he dirigido a Sabrina. Sabrina ya la conoce. He creído más conveniente poner en el sobre la dirección y el nombre de otra Montse.

—¿De otra Montse? —Le tenía intrigadísimo—. ¿Qué otra Montse?

—Montse Tapia. Montserrat Tapia.

—¿Montse Tapia? ¿Montserrat Tapia? —No entendía nada aquel cretino, el pobre.

—¿Quién es Montserrat Tapia, Charche?

—¿Montserrat Tapia? Pues... La directora del instituto. —Entonces lo comprendió todo—. ¡La *directora del instituto!*

—¿Qué crees que pensará cuando lea: «Querida Montse: cuando te veo, pienso en una vaca lechera, ¿Y sabes por qué?».

Ahora sí. Lo veía claro. Ya estaba presenciando, con su imaginación primitiva, la reacción de la directora ante su memorándum de propuestas encendidas y cochinas: «Querida Montse: cuando te veo, pienso en una vaca lechera, ¿y sabes por qué? Porque tienes dos (...) y me han dicho que vas que te (...) por los tíos como yo. Cuando quieras te (...) con mi extraordinaria (...) y te (...) como un salvaje y tú te estremecerás como una (...), y gritarás como una (...) y entonces subiré a lo alto del armario, saltaré y (...) y (...) hasta que te (...) de (...)»..., y todos los puntos suspensivos que os podáis imaginar.

Se puso blanco, inició un gesto instintivo para quitarme la carta, y se arrepintió de inmediato al ver cómo yo la hundía un poco más en la ranura del buzón.

—¡No! —gritó. Y se echó atrás, lívido y tembloroso, como si en vez de un sobre, aquello fuera una botella de nitroglicerina.

—Las fotos de Sabrina y los negativos, Charche.

—¡No, eso no...! —gimoteó.

—Bien, pues como quieras... —Moví levemente el brazo.

—¡Espera!

—¡El sobre! Déjalo sobre el buzón y aléjate veinte pasos. Después, yo dejaré la carta en el mismo sitio. ¡Tienes tres segundos! Uno, dos y...

Pobre chico. Fue como asistir al momento en que un jugador entrega la escritura de todas sus propiedades a un tahúr de aquellos del Mississippi. Dejó el sobre donde yo le había dicho, y caminó hacia atrás, contando los pasos hasta veinte. Era la vívida imagen del hombre que ha sufrido una pérdida de la que nunca podrá recuperarse.

Yo me apoderé del sobre de las fotos.

Y dejé caer la carta en el interior del buzón.

—¡Oh, lo siento, se me ha caído! —me excusé, antes de salir volado calle abajo.

Pobre Charche. Horas más tarde, la Guardia Municipal tuvo que llamarle la atención porque no dejaba de zarandear un buzón de correos. No le detuvieron porque, mientras lo zarandeaba, hablaba solo, y les dio la impresión de que no estaba en sus cabales.

Aquella misma noche le llamé para decirle que la carta que había tirado solo contenía folios en blanco. La auténtica me la guardaba como estímulo para ayudarle a reprimir sus impulsos de ponerme la cara como un mapa.

Pobre Charche, sí.

Pero se me escapaba la risa mientras rompía las fotos de Sabrina (que nunca sabría lo que había llegado a provocar con sus atributos) y tiraba los pedacitos a la cloaca, y corría y corría, cada vez más rápido, no solo por si acaso me perseguía Charcheneguer, sino también porque había quedado con Carmen a las doce, y no quería llegar tarde.

Mayo, junio, julio 1990

Índice

espacio
Flanagan

Flanagan, qué te vamos a contar, es un personaje con una vida muy azarosa; tanto, que ya es un reconocido detective privado. Es más, algunos de sus coleguitas dicen de él que es un PI (un *private investigator*, o lo que es lo mismo, un detective de los buenos). Los casos que puedes leer por ahora en esta colección los ha ido resolviendo en este orden:

— *Todos los detectives se llaman Flanagan*
— *No te laves las manos, Flanagan*
— *Flanagan de luxe*
— *Yo tampoco me llamo Flanagan*

Y recuerda, no salgas nunca de casa
sin llevar su tarjeta:

FLANAGAN
detective privado

Si te hago falta:
www.espacioflanagan.com